NAPOLEON HILL

Inclui a palestra que inspirou
o *best-seller* internacional
Quem pensa enriquece

QUEM ASSISTE ENRIQUECE

Tradução:
Adriana Krainski

Título original: *Napoleon Hill's Greatest Speeches*

Copyright © 2016 by The Napoleon Hill Foundation

Quem assiste enriquece

1ª edição: Setembro 2020

Direitos reservados desta edição: CDG Edições e Publicações

*O conteúdo desta obra é de total responsabilidade do autor
e não reflete necessariamente a opinião da editora.*

Autor:
Napoleon Hill

Tradução:
Adriana Krainski

Preparação:
André Fonseca

Revisão:
3GB e Carla Sacrato

Projeto Gráfico:
Jéssica Wendy

DADOS INTERNACIONAIS DE CATALOGAÇÃO NA PUBLICAÇÃO (CIP)

Hill, Napoleon.

    Quem assiste enriquece / Napoleon Hill ; tradução de tradução de Adriana Krainski. — Porto Alegre : CDG, 2020.

    240 p.

ISBN: 978-65-5047-053-1

Título original: Napoleon Hill's greatest speeches

1. Sucesso 2. Técnicas de autoajuda I. Título II. Krainski, Adriana

20-2874   158.1

Angélica Ilacqua - Bibliotecária - CRB-8/7057

Produção editorial e distribuição:

contato@citadel.com.br
www.citadel.com.br

QUEM ASSISTE ENRIQUECE

SUMÁRIO

Prefácio, por Dr. J. B. Hill	07
Introdução, por Don M. Green	11

PALESTRAS:

O que aprendi analisando dez mil pessoas	31
O homem que não teve oportunidades	73
O fim do arco-íris *Aula magna na Faculdade de Salem, 1922*	101
Os cinco fundamentos do sucesso *Discurso de formatura na Faculdade de Salem, 1957*	125
O criador de homens admiráveis	155
Andar uma milha a mais: *Palestra no Success Unlimited*	177
Apêndice "Esse mundo dinâmico" – Artigo, cartas etc.	203
O assunto dessa palestra gratuita	217
Cartas	219
Notas de Fim	235

PREFÁCIO

Poucas vezes Napoleon Hill usou mais do que uma única página de anotações para dar suas palestras. Embora muitas dessas anotações ainda existam, pouco do que ele de fato disse sobreviveu ao tempo. Precisei de muitos anos para localizar uma versão impressa de uma das palestras do meu avô. Encontrar uma delas não foi só emocionante para mim; foi também um milagre.

O documento que encontrei foi uma transcrição de uma aula magna que Napoleon deu na Faculdade de Salem (hoje Universidade Internacional de Salem) em 1922, que foi publicada em um jornal local sob o título de "O fim do arco-íris". Foi mantida uma cópia microfilmada nos arquivos da Faculdade de Salem. Ao ser impresso, o documento precisou de ampliação para que pudesse ser lido, e o texto estava tão desbotado que foi necessário mais de um dia para recuperá-lo, o que fiz ditando palavra a palavra para minha esposa.

Napoleon escreveu muitas vezes que a adversidade deveria ser encarada como uma bênção disfarçada. Na aula magna de 1922, Napoleon mostra como muitos de seus fracassos nos negócios foram, na verdade, pontos de virada que o levaram a oportunidades melhores. Cada fracasso foi, portanto, uma bênção.

Ele atribui seu sucesso pós-fracasso ao hábito de fazer mais do que a sua obrigação. Essa característica foi precursora de dois de seus princípios do sucesso: *Aprender com a adversidade e a derrota* e *Andar uma milha a mais*.

Napoleon fez a palestra de 1922 em Salem, perto da casa da família de sua esposa, Florence, que ficava em Lumberport, na Virgínia Ocidental. Embora na época já fosse o editor e empresário por trás da *Napoleon Hill's Magazine*, ele ainda tinha muito o que provar para sua família. Dez fracassos nos negócios em doze anos haviam amargado as atitudes de seus parentes em relação a ele. Portanto, a aula magna foi a oportunidade que Napoleon teve para ser aplaudido diante dos amigos e da família de sua esposa, e isso ele conseguiu. Seu ritmo de fala deixou a plateia hipnotizada. Ele usou sua história pessoal de fracassos para demonstrar como conseguiu superar as adversidades. A palestra foi divulgada como a melhor que aquela parte do estado já havia testemunhado. Ao fim, em meio a uma salva de palmas retumbante, Napoleon se ergueu com honras diante da família.

Enviei uma cópia do discurso para Don Green, diretor executivo da Fundação Napoleon Hill. Don imediatamente viu potencial para um livro e começou a pesquisar outros materiais nos arquivos da fundação. Ao longo de vários anos, ele descobriu outras tantas palestras e diversos artigos que foram reunidos neste livro.

Um dos artigos, "Esse mundo dinâmico", havia sido descoberto atrás da proteção de uma lareira na casa de infância de Napoleon. Havia sido escrito durante a Grande Depressão, provavelmente por volta da década de 1930.

Quando a Depressão se agravou, Napoleon passou a viver com sua família, que lhe oferecia um emprego garantido. No entanto, para ele, aceitar essa segurança significava que havia fracassado. Então, em março de 1931, Hill fez exatamente o que precisava fazer – e talvez exatamente o que não deveria ter feito: saiu do emprego e partiu para Washington, D.C.

À época, a lista de empreendimentos fracassados de Napoleon era impressionante. Sua decisão de mais uma vez tentar o sucesso por conta própria deve ter sido uma questão de fé – já que muito mais do que isso ele não tinha. O artigo encontrado atrás da lareira dá uma dimensão da

Prefácio

fé e da visão que motivaram Napoleon a, mais tarde, deixar a família e a segurança e partir para Washington, D.C., durante uma depressão mundial. "Esse mundo dinâmico" responde muitas das recorrentes perguntas sobre as visões espirituais de Napoleon.

Don também encontrou duas cópias de uma das primeiras palestras de Napoleon, "O que aprendi analisando dez mil pessoas". Uma delas havia sido guardada nos arquivos da Fundação Napoleon Hill, e a outra havia sido publicada na edição de fevereiro de 1918 da *Modern Methods*. Napoleon escreveu a palestra quando atuava como reitor do Instituto de Publicidade George Washington (atualmente chamado de Escola de Negócios Bryant & Stratton de Chicago), do qual mais tarde se tornou presidente e diretor do departamento de Vendas e Publicidade.

Nesse discurso, Napoleon fala sobre os cinco "requisitos" do sucesso: autoconfiança, entusiasmo, concentração, um plano de trabalho e o hábito de fazer mais do que a obrigação. Ele revela as bases do pensamento que norteiam três dos seus futuros princípios do sucesso: *Entusiasmo, Atenção controlada* e *Andar uma milha a mais*. Posteriormente, ele viria a colocar o requisito da "autoconfiança" sob o título de *Entusiasmo*, e "um plano de trabalho" se tornou parte do processo de *Definição de Propósito*. Embora Napoleon entendesse a ideia de "MasterMind" preconizada por Andrew Carnegie, não chegou a mencioná-la nesse discurso. Acredito que ela não fosse adequada para um público de vendedores que costuma traçar caminhos individuais para o sucesso.

Ao final de 1952, Napoleon deixou sua esposa, Annie Lou, na Califórnia, por um ano, enquanto trabalhava com W. Clement Stone em diversos projetos. Por vários meses, ele e Stone viajaram juntos fazendo palestras, sendo que Stone frequentemente apresentava Napoleon como o palestrante principal.

Don descobriu um registro de uma dessas anotações, intitulada "O criador de homens admiráveis", e o transcreveu para este livro. Talvez seja sua descoberta mais interessante, porque retrata fielmente Napoleon, ainda que de maneira improvisada. A oratória sagaz e fascinante de Napoleon fica nítida na prosa.

Em meados da década de 1950, Napoleon era um palestrante famoso em todo o país. Suas palestras chegaram ao rádio e à TV, e a Universidade Internacional do Pacífico lhe concedeu o título de *Doutor honoris causa* em Literatura. Em 1957, a Faculdade de Salem o convidou novamente para fazer um discurso de formatura e para receber seu segundo título de *Doutor honoris causa*.

A essa altura, as ideias de Napoleon sobre sucesso haviam amadurecido a ponto de se tornarem princípios concretos. Em vez de palestrar sobre os cinco *requisitos* para o sucesso, ele trata, em seu discurso de formatura intitulado "Os cinco fundamentos do sucesso", dos cinco mais importantes *princípios* do sucesso. Assim como na aula magna de 1922, esse discurso também foi aplaudido vividamente pela plateia.

É interessante notar que, após 35 anos de reflexão, dentre os cinco requisitos originais de 1922, apenas o de *Andar uma milha a mais* permaneceu fulcral para as ideias de Napoleon. Os outros requisitos foram substituídos por quatro princípios essenciais: *MasterMind*, *Definição de propósito*, *Autodisciplina* e *Fé aplicada*.

Embora cada uma das palestras e artigos nesta coleção funcione de maneira autônoma, juntos eles mostram como as ideias de Napoleon evoluíram à medida que seus pensamentos amadureciam e se uniam em torno de uma filosofia cabal sobre o sucesso.

– Dr. J. B. Hill

INTRODUÇÃO

Napoleon Hill nasceu em 26 de outubro de 1883. Em sua certidão de nascimento, foi registrado com o nome de Oliver Napoleon Hill, mas ele abandonou o "Oliver" antes de se tornar um escritor conhecido.

Quase nada no ambiente em que Hill foi criado apontava para o percurso profissional que ele percorreria. O condado de Wise, cidade em que cresceu na Virgínia, é uma região remota nos montes Apalaches.

A biografia de Hill, *Uma vida rica*, mostra como a vida no condado de Wise em 1880 ficava isolada do progresso que estava acontecendo em grande parte do país. A expectativa de vida era curta, a mortalidade infantil era alta, e dezenas de milhares de camponeses da Virgínia sofriam de problemas crônicos de saúde, que iam desde ancilostomose* até malária e pelagra, uma doença causada pela má alimentação.

Em 1880 a maioria das escolas na Virgínia estava caindo aos pedaços. As escolas primárias ficavam abertas por cerca de quatro meses por ano, e a presença dos alunos nas aulas não era obrigatória. Havia pouco mais de cem escolas secundárias no estado da Virgínia à época, e a maioria dos cursos durava dois ou três anos. Em todo o estado, havia apenas dez escolas secundárias cujos cursos duravam quatro anos.

Quando Hill nasceu, usava-se carvão para aquecimento, mas o produto só passou a ser comercializado em 1890. Era difícil plantar na terra pedregosa e montanhosa do sudoeste da Virgínia, e muitas famílias saíram

---

*   Popularmente conhecida no Brasil como amarelão. (N. E.)

das montanhas e foram para as cidades em busca de empregos que oferecessem salários melhores.

O milho era a principal cultura, cultivado para alimentação humana e animal. Frequentemente, também era usado para fazer um tipo de destilado clandestino conhecido como *moonshine*. O *moonshine* era importante porque poderia virar dinheiro, um bem precioso e escasso para os habitantes das montanhas.

Esse contexto deu muitos motivos para que Hill pudesse, mais tarde, dizer que a cultura das montanhas era famosa por três coisas: brigas, *moonshine* e ignorantes.

Nos arquivos da Fundação Napoleon Hill, há uma autobiografia inédita em que Hill escreveu: "Por três gerações, meu povo nasceu, viveu, lutou na ignorância, no analfabetismo e na pobreza, e morreu sem sair das montanhas daquela região. Eles tiravam seu sustento do solo. Todo o dinheiro que ganhavam vinha da venda do milho sob a forma de uma bebida destilada clandestina. Não havia estradas, telefones, luz elétrica ou rodovias públicas".

Nota: as citações e histórias verídicas compartilhadas aqui foram recolhidas dos arquivos, memórias, discussões, cartas manuscritas e outras fontes idôneas arquivadas na Fundação Napoleon Hill.

Hill, assim como muitas outras pessoas, sem dúvidas admirava indivíduos bem-sucedidos como Andrew Carnegie, que provavelmente foi o homem mais rico de todos os tempos, e Thomas Edison, que nos deu a lâmpada por volta da mesma época em que Hill nasceu. Mas diferentemente dos típicos fãs dos ricos e famosos, Hill se encontrou pessoalmente com a maioria dos homens mais poderosos e influentes da época.

Introdução

Destinado à fama

Hill estava destinado a se tornar famoso. Hoje, literalmente centenas de suas frases mais famosas se tornaram citações. Uma das mais conhecidas é: "Cada adversidade traz consigo a semente de um benefício equivalente". Essa citação certamente poderia ser aplicada aos primeiros anos da infância de Hill.

Aos 17 anos de idade, o pai de Hill, James Monroe Hill, se casou com a jovem Sara Blair. Oliver Napoleon foi o primeiro filho do casal, e depois dele veio Vivian, seu irmão mais novo. A mãe de Hill morreu quando ele tinha apenas 9 anos.

Embora a morte tão precoce de sua mãe tenha sido um golpe duríssimo, um ano depois ele seria abençoado com uma madrasta. Martha Ramey Banner, viúva de um diretor de escola e filha de um médico da região, exerceu grande impacto na sua vida, talvez maior do que o de qualquer outra pessoa. Ele viria a dizer – em uma declaração sobre o que o presidente Abraham Lincoln teria dito sobre sua madrasta – que "tudo que sou ou sonho em ser eu devo àquela querida mulher".

Martha reuniu seus três filhos e os dois irmãos Hill e se empenhou para melhorar as condições não só financeiras, mas também espirituais, da nova família. Ela exerceu profunda influência em todos, a começar por James, seu novo marido. Ela o incentivou a abrir um serviço postal e a começar a vender mercadorias. Ela também ajudou a fundar a Igreja Batista Primitiva de Three Forks.

Participar ativamente das atividades dessa igreja certamente influenciou o futuro de Hill, pois foi provavelmente seu primeiro contato com um ambiente no qual os pastores empolgavam e tocavam as pessoas com suas habilidades de oratória. Hill também se tornaria famoso por sua habilidade de cativar e convencer pessoas.

Quem assiste enriquece

Aos 11 anos, Hill foi convencido por sua madrasta a pensar em se tornar escritor, por causa de sua imaginação sem limites. Martha disse ao enteado: "Se você passasse tanto tempo lendo e escrevendo quanto passa causando problemas, um dia veria sua influência chegando ao estado inteiro".

Quando Hill tinha 12 anos, sua madrasta o convenceu a trocar o revólver do qual ele tanto se orgulhava por uma máquina de escrever. Isso aconteceu em 1895, época em que não se encontravam máquinas de escrever facilmente. Martha, mais uma vez, apoiou aquele garoto levado, dizendo: "Se você dominar a máquina de escrever tão bem quanto domina esse revólver, poderá ficar rico e famoso e conhecer o mundo". Hill havia lido muito e aprendido que escritores podiam se tornar famosos e deixar um legado que perduraria para além de suas próprias vidas.

Muito cedo o jovem Hill percebeu que uma semente de pensamento plantada por sua madrasta poderia criar raízes e florescer. Posteriormente, ele popularizaria a frase "Tudo que a mente humana pode conceber, ela pode conquistar".

Com 13 anos, Hill foi trabalhar como operário em uma mina de carvão pelo salário de um dólar por dia. Além de o trabalho ser difícil, sujo e braçal, Hill ganhava apenas cinquenta centavos diários, pois os outros cinquenta centavos serviam para pagar sua acomodação e o sindicato. Hill não via futuro no setor carvoeiro, mas aprendeu que poderia ganhar muito mais usando a mente do que se usasse as mãos.

Aos 15 anos, Hill iniciou a escola secundária Gladesville, e concluiu o curso dois anos mais tarde, tendo para isso enfrentado muitas dificuldades.

Após a escola secundária, Hill saiu de casa para fazer um curso técnico de administração, um programa de um ano que incluía matérias de estenografia, digitação e contabilidade, habilidades que serviam para preparar os alunos para atuarem como secretários.

Ao concluir o curso de administração, Hill, então com 17 anos de idade, procurou Rufus Ayres, um advogado famoso que havia atuado como procurador-geral do estado da Virgínia, para pedir emprego. Ayres era, de fato, um homem de muitos talentos, que não se limitava ao seu trabalho de advogado e atuava fortemente também nos setores madeireiro e carvoeiro. Hill entrou em contato com Ayres porque admirava magnatas dos negócios como ele e sonhava em entrar para aquele time no futuro.

Hill escreveu uma carta para Ayres mostrando o quanto desejava trabalhar para o advogado. Na carta, fez a seguinte proposta:

> Acabo de terminar o técnico em administração e tenho muita competência para trabalhar como seu secretário, cargo que anseio muitíssimo. Como não tenho experiência anterior, tenho consciência de que, de início, o trabalho será de mais valor para mim do que para você. Por isso, estou disposto a pagar pelo privilégio de trabalhar com você.
>
> Pode cobrar qualquer valor que considere justo, contanto que, ao final de três meses, esse valor se torne o meu salário. A quantia que pagarei poderá ser descontada do que você irá me pagar quando eu começar a ganhar dinheiro.

Trabalhar com Ayres foi uma experiência muito agradável para Hill. Napoleon se vestia com roupas elegantes, chegava ao trabalho cedo e ali ficava até tarde. Os esforços de Hill certamente valeram a pena, e é fácil ver como andar uma milha a mais beneficiou o aspirante a executivo desde cedo em sua carreira.

Incentivado por Ayres, Hill começou a se imaginar como um advogado de sucesso. Ele convenceu seu irmão Vivian a se matricular na faculdade de direito da Universidade de Georgetown, dizendo que poderia sustentar os dois com as suas atividades de escritor. Embora Napoleon também tenha cursado direito, não se formou como o seu irmão mais novo. Uma tarefa que lhe fora incumbida definiria a sua vocação para o resto da vida. No outono de 1908, pediram a Hill que entrevistasse o magnata do aço Andrew Carnegie para a revista *Bob Taylors*, um periódico cujo dono era Robert Taylor, que havia sido governador do Tennessee e senador dos Estados Unidos. A revista recorreu a Hill porque publicava histórias de pessoas de sucesso. Ele ficou muito animado em poder usar os talentos que, quando jovem, havia aprendido escrevendo artigos para jornais.

A entrevista com Carnegie

A entrevista com Carnegie seria revolucionária para o campo do desenvolvimento pessoal. A vida de Carnegie parecia de fato saída de um romance de Honoratio Alger sobre a saga de garotos pobres que se tornam ricos. Carnegie era um jovem imigrante escocês com pouca escolarização e que, portanto, foi trabalhar aos 10 anos de idade, por pouco mais de um dólar por semana. Por se dedicar, economizar e investir, tornou-se milionário aos 30 anos.

Durante a entrevista, Carnegie discutiu a ideia de uma "filosofia do sucesso", desafiando Napoleon a passar vinte anos entrevistando e estudando pessoas de sucesso para compartilhar essa filosofia com os demais. Carnegie contribuiu com esse projeto por meio de cartas de apresentação, o que facilitou o contato do jovem escritor com as pessoas mais bem-sucedidas do país.

Hill aceitou o desafio que Carnegie propôs durante a entrevista, que durou três dias, durante os quais Hill começou a aprender sobre a filosofia de sucesso de Carnegie. Ao falar sobre sua infância, Carnegie enfatizou o princípio do *MasterMind* e de *Andar uma milha a mais* e sobre como ambos ajudaram em sua carreira.

Carnegie contou a Hill que origens humildes não eram um empecilho ao sucesso, mas sim uma inspiração para superar as adversidades e atingir objetivos aparentemente impossíveis. Com um forte sentimento de autoestima, Carnegie disse: "A pobreza não pode impedir ninguém de ter sucesso. A confiança é um estado mental necessário ao sucesso, e o ponto de partida para o desenvolvimento da autoconfiança é a definição de propósito". A regra cabal de Carnegie naquilo que chamou de sua "filosofia de desenvolvimento pessoal" foi a seguinte: "O homem que sabe exatamente o que quer, que tem um plano concreto para chegar lá e que está realmente comprometido em fazer esse plano acontecer, logo passará a acreditar que tem, dentro de si, a capacidade necessária para prosperar. O homem que procrastina logo perde a confiança e faz muito pouco ou nada de produtivo".

Hill perguntou a Carnegie: "O que acontece quando um homem sabe o que quer, faz planos, age e ainda assim fracassa? Isso destrói a sua confiança?".

Carnegie respondeu: "Todo fracasso traz consigo a semente de um benefício equivalente. As vidas dos grandes líderes mostram que o sucesso deles é proporcional ao seu controle sobre o fracasso temporário".

Carnegie também explicou a Hill sobre a necessidade de controlar os próprios pensamentos. Carnegie argumentou que a mente é a fonte de toda a felicidade e de todo o sofrimento, da pobreza e da riqueza. O uso das nossas mentes nos permite criar amizades ou inimizades. As limitações da nossa própria mente são aquelas que nós mesmos nos impomos.

Hill fez referência às ideias de Carnegie sobre a mente ao escrever e repetir diversas vezes que "Tudo que a mente pode conceber, ela pode conquistar".

Carnegie relatou a Hill que amigos seus, como Henry Ford, Thomas Edison, John D. Rockefeller, Harvey Firestone e Alexander Graham Bell viviam vidas parecidas com a sua. Por tentativa e erro, com um propósito bem definido e ações objetivas, conquistaram não só o sucesso, mas também a riqueza e a fama. Segundo Carnegie, a ação é de suma importância, porque sem ela os melhores planos e propósitos são vazios. Com esses exemplos, Carnegie inspirou Hill a estudar as vidas de outros homens célebres.

> "A ação é de suma importância,
> porque sem ela os melhores planos
> e propósitos são vazios."

Hill aplicou essas lições em sua missão de vida de difundir a filosofia de sucesso que havia aprendido com Carnegie e com centenas de líderes dos setores público e privado. Sua conversa com Carnegie se tornou a base para que ele escrevesse *Quem pensa enriquece*, o livro de autodesenvolvimento mais vendido e influente de todos os tempos.

Pouco depois de se casar, quando morava em Washington, D.C., Hill foi a Detroit entrevistar Henry Ford. Ford demonstrou ter autocontrole e a capacidade de concentrar todos os esforços para chegar ao seu objetivo, que era de produzir um carro popular, acessível para as massas. Posteriormente, Hill disse que, em vez de falar sobre sucesso, Ford queria conversar sobre o seu carro, o que deve tê-lo impressionado, pois comprou um Ford Modelo T novinho por US$ 680 e foi dirigindo até Washington para surpreender sua esposa, Florence.

Após sua viagem a Detroit para a entrevista com Henry Ford, Hill se encontrou em uma situação financeira difícil. Recém-casado, precisava de uma fonte de renda estável. A solução encontrada foi trabalhar como vendedor em uma empresa automobilística em Washington. Esse novo emprego deu a Hill uma oportunidade de andar uma milha a mais. Hill começou a treinar outros vendedores na Escola do Automóvel de Washington que ele fundou.

Hill enfrentou muitos desafios na vida, mas nada o havia preparado para o que aconteceria após o nascimento do seu filho, Napoleon Blair Hill, em 11 de novembro de 1912. Napoleon Blair nasceu surdo e sem orelhas. Em vez de obter instruções sobre como aprender a língua dos sinais, Napoleon Hill estava determinado a ensinar seu filho a falar e a ouvir. Hill falava com o garotinho por horas seguidas, colocando seus lábios na base do pescoço do menino, atrás de onde deveriam ficar suas orelhas. Anos mais tarde, Blair aprendeu a ouvir e, por fim, conseguiu um aparelho auditivo que melhorou ainda mais as suas habilidades de audição e fala.

Hill inspirou em seu filho o desejo de superar a dificuldade física de ter nascido sem orelhas. Napoleon enfrentou muitas outras dificuldades na vida, como casamentos rompidos, negócios fracassados, mas nunca desistiu de buscar a filosofia do sucesso.

Um dos empreendimentos de Hill foi o Instituto George Washington, criado para treinar vendedores. Seu curso de vendas tratava de ensinar publicidade e o princípio do serviço a outras pessoas. Hill conta que, a essa altura da vida, já havia entrevistado dez mil homens e mulheres que estavam tentando triunfar. Em 1916, em uma aula transcrita, afirmou: "Eu realmente duvido que seja possível não conseguir aquilo que realmente queremos. A verdade é que, seja consciente ou inconscientemente, conseguimos aquilo sobre o que pensamos mais intensamente". Durante esse período na sua carreira de professor, Hill começou a ensinar os alunos sobre "autossugestão" como uma forma de disciplinar a mente.

O fim da Primeira Grande Guerra implicou uma mudança de circunstâncias. Hill idealizou sua primeira revista, que chamou de *Napoleon Hill's Golden Rule Magazine* (Revista das regras de ouro de Napoleon Hill). Para o cargo de editor, Hill escolheu George Williams, que havia conhecido durante a guerra, quando ambos trabalhavam para o presidente Woodrow Wilson.

Trabalhando na revista, Hill aplicou suas experiências anteriores como datilógrafo e seu conhecimento prévio sobre jornais. A publicação serviu como uma excelente forma de deixar transparecer todo o entusiasmo que recordava dos tempos da Igreja Batista de Three Forks. Para Hill, essa era a oportunidade de divulgar sua mensagem, palestrar e motivar seu público. Seria aqui que alcançaria a fama que sua madrasta lhe havia prometido na adolescência.

A primeira edição da *Napoleon Hill's Golden Rule Magazine* foi escrita, editada, impressa e entregue nas bancas de jornais em janeiro de 1919. Como não tinha dinheiro para contratar redatores, Hill escreveu cada palavra das primeiras nove edições. Posteriormente, revelou que havia escrito cada palavra e usado pseudônimos para mascarar sua identidade. Com apenas um redator, não era para a revista ter feito sucesso, mas ela fez. A primeira edição vendeu tão rápido que foi reimpressa três vezes.

Em outubro de 1920, Hill perdeu a *Napoleon Hill's Golden Rule Magazine*. Então, começou a viajar pelos Estados Unidos para dar palestras cheias de entusiasmo. Ele era bem recebido em todos lugares aonde ia.

Em 1921, após se mudar de Chicago para Nova York, Hill lançou a *Napoleon Hill's Magazine*, e publicou a primeira edição em abril de 1921. Embora ainda escrevesse a maioria dos artigos, começou a contar com a ajuda de outros escritores que escreviam sobre uma grande variedade de assuntos. Entre eles, havia médicos, empresários e psicólogos. Hill começou a dar conselhos sobre como desenvolver a autoestima, como se autopromover e até mesmo sobre como conseguir um emprego melhor.

Hill usou a revista para divulgar suas palestras a pessoas que trabalhavam nas áreas comerciais e de publicidade e para organizações civis e faculdades. Todas essas atividades se destinavam a promover sua filosofia. A demanda pelas palestras de Hill começou a aumentar tanto que ele passou a ganhar cerca de cem dólares por palestra, além de ter todas as suas despesas pagas.

Introdução

Discursos emotivos

Napoleon estava exultante com a sua carreira de palestrante, porque ela lhe permitia ver os efeitos dos seus ensinamentos – de fato, suas palavras e sua entrega tocavam o público. Suas palestras tinham um tom bastante emotivo e muitas vezes traziam provérbios da Bíblia, certamente lembranças dos sermões da Igreja Batista de Three Forks.

Hill se concentrava a princípio em dois assuntos, um dos quais era *A escada para o triunfo*, que viria a ser o título do seu segundo livro, publicado em 1930. O outro assunto era a filosofia da Regra de Ouro, que continuou norteando seus discursos e escritos. Ele também falava dos "sete momentos cruciais em sua vida". A mensagem de Hill foi transmitida na forma de histórias de fracasso e de sucesso baseadas em sua própria vida pessoal e profissional.

Em 1921 a *Napoleon Hill's Magazine* ia bem, e Hill decidiu empreender em algo novo na área de comunicação. Anunciando em suas palestras, Hill desenvolveu um curso que chamou de *A ciência do sucesso*, que o público poderia encomendar por correspondência. O curso incluía dez lições impressas e seis gravações em disco. Quem comprasse o curso *A ciência do sucesso* poderia ler as palavras de Hill e ouvir sua voz enérgica. Esse programa foi o precursor da indústria motivacional, que ostenta um séquito de milhões de entusiastas dedicados a melhorar suas próprias vidas.

Em 1922, as palestras de Hill, além de lhe renderem valores vultosos, estavam lhe conectando a empresários ricos e famosos. Concomitantemente, ele continuava trabalhando na filosofia de sucesso que Carnegie o havia desafiado a desenvolver.

Mas para Hill, não bastava ensinar sua filosofia para o grande público: ele enxergou a oportunidade e a necessidade de ensinar sua fórmula do sucesso para a população carcerária também.

Hill começou a ensinar sua filosofia nas prisões e foi um sucesso imediato. Hoje ela continua ajudando presidiários a se prepararem para uma vida melhor. Dezenas de milhares de detentos se beneficiaram do material que Hill desenvolveu, usando-o muitas vezes para recomeçar suas vidas.

Por ter perdido a *Napoleon Hill's Golden Rule Magazine* para seu sócio e depois ter sido forçado a abandonar a *Napoleon Hill's Magazine*, Hill teve prejuízos significativos. Mas ninguém conseguia se recuperar das adversidades melhor que Hill, que foi um caso exemplar do princípio de que "toda adversidade traz consigo a semente de um benefício maior ou equivalente".

Pouco tempo depois, Hill usou meios criativos de financiamento para comprar um prédio por US$ 125 mil, onde fundou a Faculdade Metropolitana de Negócios.

Quando a escola de administração começou a operar, em 1924, Hill passou a dar aulas com uma frequência incrível de três vezes por dia, cinco dias por semana.

Em 1926, Hill conheceu Don Mellett, editor do *Canton Daily News* em Canton, Ohio. Após transferir a gestão da sua escola de negócios para o seu sócio, passou a trabalhar em tempo integral para o *Canton Daily News*. Mellett ficou tão impressionado com Hill que quis publicar um livro sobre sua trajetória de estudos e pesquisas sobre sucesso.

Mas Hill estava prestes a viver outra tragédia. Era época da Lei Seca nos Estados Unidos, e Mellett havia denunciado um grupo de contrabandistas de *whisky*. Um gângster e ex-policial assassinou Mellett. Hill, que acreditava ter sido exposto na denúncia, teve que fugir para se salvar. Ele ficou perto de ter seu primeiro livro publicado, mas o assassinato do seu sócio suspendeu seu plano temporariamente.

Porém, para Hill, seu plano poderia tardar, mas nunca falhar. Após um tempo na Virgínia Ocidental, onde viviam os parentes de sua mulher, ele foi morar na Filadélfia, com a missão de publicar seu primeiro livro.

Introdução

Após ser rejeitado diversas vezes, por conta do seu manuscrito gigante, Hill se lembrou do nome de Andrew Pelton, um anunciante dos tempos da *Napoleon Hill's Golden Rule Magazine*. Pelton revisou o livro de Hill e imediatamente concordou em financiar a impressão e a distribuição do livro, além de dar um generoso adiantamento para Hill.

Hill dedicava de doze a dezoito horas por dia a passar a limpo e atualizar o imenso manuscrito. Assim como quando havia fundado a *Napoleon Hill's Golden Rule Magazine*, ele não só datilografou cada página daquele volume gigantesco, mas também atuou como único revisor e editor. O resultado foi um manuscrito intenso, apaixonado e aprimorado. O trabalho de reescrever o livro durou três meses, e Hill ficou tão contente com o produto final que falou para a sua esposa que o livro estava "cem por cento melhor do que antes". Foram necessários oito tomos para abarcar toda a obra de Hill. *A lei do triunfo* se tornou a obra sobre sucesso mais abrangente de todos os tempos.

A LEI DO TRIUNFO

A coleção de oito volumes custava originalmente trinta dólares. Apesar de ser um valor alto para a época, a série foi um grande sucesso de vendas. Hill recebeu sua primeira comissão pelos *royalties* de *A lei do triunfo* em 1928, e no início do ano seguinte eles estavam rendendo uma média de US$ 2.500 por mês, uma renda altíssima para os padrões de 1929.

A lei do triunfo havia sido rejeitado pelas editoras, mas o sucesso de público superou os diversos livros motivacionais disponíveis no mercado naquela época. Para Hill, era muito mais do que um livro; era um manual de instruções sobre como subir na vida. Todas as informações que Hill apresentou em *A Lei do triunfo* foram resultado das instruções passadas por Carnegie sobre como conduzir entrevistas e fazer pesquisas para obter conselhos das pessoas mais bem-sucedidas dos Estados

Unidos. Uma lei pode ser interpretada como regras, mas, da forma como foi escrita por Hill, *A lei* era um fato e um testemunho do sucesso do capitalismo. Nada publicado anteriormente se comparava ao fenômeno que foi *A Lei do triunfo*.

Com os lucros obtidos com *A lei do triunfo*, em 1929, Hill conseguiu comprar um *Rolls-Royce* e um terreno de cerca de trezentos hectares nas montanhas Catskill, em Nova York. No entanto, a fortuna de Hill foi logo consumida pela Grande Depressão. Em 1930, um a cada quatro norte-americanos estava desempregado.

Durante essa grave crise econômica, Hill recebeu uma carta da Casa Branca com um pedido de ajuda. Esse fato ocorreu em 1933, logo após Franklin D. Roosevelt assumir o cargo de presidente. Hill dava ao presidente Roosevelt sugestões para os famosos discursos presidenciais, que eram proferidos para tentar levantar os ânimos de uma nação deprimida. Hill passou a ser muito admirado pela sua dedicação à causa presidencial.

Depois de trabalhar para o governo Roosevelt, Hill viu aumentar cada vez mais a demanda por suas palestras e discursos. E com o sucesso de *A lei do triunfo*, Hill estava mais atribulado do que nunca, viajando por todo o país para dar palestras.

QUEM PENSA ENRIQUECE

Em 1937, Hill estava pronto para publicar seu livro mais famoso, *Quem pensa enriquece*, que a princípio seria chamado de "Os treze passos rumo à riqueza". Depois de reescrevê-lo três vezes, Hill começou a procurar uma editora. E quem melhor para apresentar o trabalho senão a Andrew Pelton, que havia publicado *A lei do triunfo* e com quem havia ganhado uma pequena fortuna?

Pelton concordou em publicar o livro e inicialmente queria chamá-lo de "*Use Your Noodle to Win More Boodle*" (algo como "Use o cabeção para

Introdução

ganhar um dinheirão", em tradução livre). No entanto, Hill o persuadiu e o livro foi publicado sob o título *Quem pensa enriquece* – e foi um sucesso instantâneo.

A editora definiu o preço do livro em US$ 2,50, um valor bastante alto em 1937. Mesmo diante de uma grave depressão econômica, o livro conseguiu vender todas as cinco mil cópias da primeira edição em questão de semanas. Logo após a publicação de *Quem pensa enriquece,* uma companhia seguradora comprou cinco mil cópias, o que motivou a impressão de outras trinta mil em agosto de 1937.

Foram vendidos mais de um milhão de cópias antes do fim da Grande Depressão. Em quinze anos, mais de vinte milhões de cópias haviam sido vendidos. Foram mais de sessenta milhões de cópias em todo o mundo. *Quem pensa enriquece* revelou-se o livro motivacional mais vendido de todos os tempos.

Há muitos motivos pelos quais *Quem pensa enriquece* se tornou imediatamente *best-seller*, como a necessidade das pessoas de se inspirarem e o desejo de serem bem-sucedidas. Mas certamente o maior dos atrativos do livro foi e continua sendo o fato de as informações terem sido extraídas do material original de *A Lei do triunfo*. Foram inspiradas por Andrew Carnegie e baseadas em vinte anos de entrevistas e pesquisas sobre o que faz com que as pessoas triunfem. As pesquisas que Hill realizou para *A lei do triunfo* e *Quem pensa enriquece* deram origem a livros que estão entre as obras mais originais do gênero de desenvolvimento pessoal.

Em 1938, uma cópia de *Quem pensa enriquece* foi parar nas mãos de um corretor de seguros de Chicago, W. Clement Stone, que imediatamente se interessou na filosofia descrita no livro. Stone obteve tanto sucesso aplicando o *Quem pensa enriquece* que, dentro de um ano, suas vendas aumentaram dez vezes em relação ao ano anterior.

Em 1941, Hill se tornou ainda mais popular ao unir forças com Dr. William Plumer Jacobs, presidente da Faculdade Presbiteriana, dono da

Jacobs Press e assessor de relações públicas de um grupo de empresas do ramo têxtil da Carolina do Sul. Hill havia conhecido Jacobs quando foi dar uma palestra em Atlanta, na Geórgia, em 1940. A parceria entre os dois exigiu que Hill se mudasse para Clinton, na Carolina do Sul, onde Jacobs vivia.

O projeto exigiu que Hill reescrevesse sua filosofia de realização pessoal na forma de um curso de autoajuda e que criasse uma série de palestras que seriam chamadas de "A filosofia da conquista". A estreia das palestras aconteceria na Faculdade Presbiteriana, para, depois, serem apresentadas em escolas, cidades e fábricas em toda a Carolina do Sul e em outros estados da região sul. A ideia era atrair empresas do norte para se estabelecerem no sul.

Hill levou meses para reescrever sua filosofia do sucesso, e o resultado foi uma obra intitulada *Dinamite mental*, uma série com dezessete pequenos livros com cerca de cem páginas cada. As palestras de Hill ficaram muito famosas, e *Dinamite mental* foi publicada pela Jacob Press.

Em 1943, Hill levou sua série de palestras até a Califórnia e rapidamente ganhou muitos seguidores. Foi nessa época que Hill recebeu o título de *Doutor honoris causa* em Literatura pela Universidade Internacional do Pacífico.

A filosofia do sucesso

Em 1947, ele lançou um programa de entrevistas na Rádio KFWB em Hollywood, na Califórnia. Por três anos, centenas de milhares de pessoas tiveram a oportunidade de ouvir Hill falar sobre sua filosofia do sucesso. Falavam que, aos 60 anos, ele parecia ter 45, tinha o charme de um homem de 35 e a energia de um adolescente. O programa no rádio de Hill deu origem a muitos empregos na área de comunicação em empresas e grupos econômicos.

Introdução

Aos 67 anos, Hill, ainda muito ativo, cumpriu uma promessa de dar uma palestra em Chicago, a pedido de um dentista da região. Essa palestra na convenção de dentistas iria mudar a vida de Hill e de milhões de outras pessoas.

Na plateia estava presente um empresário chamado W. Clement Stone, que havia apresentado o livro *Quem pensa enriquece* ao dentista alguns anos antes. Hill estava vivendo uma aposentadoria parcial, mas Stone o desafiou a difundir sua mensagem de sucesso com a sua ajuda.

Stone e Hill fundaram a *Napoleon Hill Associates*, com o intuito de levar a mensagem de sucesso a grupos comerciais. Stone mais tarde diria que "havia acertado em cheio ao firmar a parceria com Napoleon Hill". Juntos, Stone e Hill produziram livros, cursos, palestras, programas de rádio e, por fim, programas de televisão.

Dois anos após o início da parceria, eles publicaram o livro didático *A ciência do sucesso*, que mais tarde se tornaria um curso chamado *Atitude mental positiva: a ciência do sucesso*.

Ao longo do resto de suas vidas, Napoleon Hill e W. Clement Stone deram continuidade à missão de divulgar a filosofia do sucesso para ajudar outras pessoas.

Em 1953, Stone e Hill publicaram *Como aumentar o seu próprio salário*, e em 1954 Stone e Hill começaram a publicar uma pequena revista, a *Success Unlimited*. Cada edição trazia mensagens de inspiração dos dois empresários.

Em 1959, após comemorar seu 75º aniversário, Hill ainda dava palestras e viajava para lugares como Porto Rico, Austrália e Nova Zelândia. Essas palestras geralmente eram feitas junto com Stone.

Em 1960, Hill e Stone escreveram um novo livro em parceria, chamado de *Sucesso por meio de uma atitude mental positiva*, que imediatamente se tornou um clássico no campo da autoajuda e rapidamente vendeu milhares de cópias nos Estados Unidos. O *Sucesso por meio de uma atitude mental positiva* foi publicado no mundo inteiro e continua sendo um campeão de vendas.

Em 1962, Hill e sua última esposa, Annie Lou, criaram a Fundação Napoleon Hill. Resultado do pensamento dos homens mais ricos dos Estados Unidos, a fundação é especial porque se dedica a promover a realização pessoal e a inspirar pessoas a superarem os obstáculos que se colocam entre elas e o sucesso.

Em 1967, aos 84 anos, Hill publicou *Quem pensa enriquece com tranquilidade*.

Além de Stone, entre os administradores originais da Fundação Napoleon Hill estavam Dr. Charles Johnson, a sobrinha de Annie Lou Hill e o senador da Virgínia Ocidental Jennings Randolph, que passou a apoiar Hill quando ele fez o discurso na formatura de Randolph, na Faculdade de Salem, em 1922.

Michael J. Ritt Jr., que trabalhou por 52 anos como vice-presidente da empresa de Stone, a *Combined Insurance*, viajou com Stone e Hill para relatar, promover e registrar o trabalho daqueles dois homens incríveis. Ritt Jr. se tornou o primeiro diretor executivo da Fundação Napoleon Hill.

Hoje a Fundação Napoleon Hill dá continuidade ao trabalho que Hill iniciou há mais de cem anos. Hill e Stone ficariam felizes se soubessem da popularidade que a obra deles continua tendo até hoje em todo o mundo.

Esperamos sinceramente que você também tire proveito dessas palavras proferidas muitos anos atrás, mas que são atemporais pela sabedoria que carregam. Note que escrevi comentários antes das palestras e das cartas, de forma a introduzi-las e trazer informações contextuais sobre elas.

Temos o prazer de apresentar, nas páginas a seguir, esta coleção inédita das melhores palestras do único e inigualável Napoleon Hill.

– Don M. Green
Diretor da Fundação Napoleon Hill

Introdução

Em 1917 Napoleon Hill comandava o Instituto George Washington, em Chicago. Entre os assuntos sobre os quais Hill ensinava na escola, estavam "Lições sobre vendas", "Psicologia aplicada", "O que aprendi analisando dez mil pessoas" e "O homem que não teve oportunidades". Hill realmente sabia do que estava falando. "Lições sobre vendas" foi certamente inspirado em sua experiência com treinamento de vendedores. Quem conhece a carreira de Hill sabe que, durante boa parte de sua vida, sua fonte de renda vinha de treinamentos sobre técnicas comerciais. Diversos líderes da área comercial, como Jeffrey Gitomer, conhecido por vários *best-sellers* sobre vendas, como o *Little Red Book of Selling*, consideravam os ensaios sobre vendas como a melhor obra de Hill.

As aulas de Hill sobre psicologia aplicada tiveram origem em seus estudos e em sua fascinação pelo assunto, sobretudo pela obra do Dr. Warren Hilton, formado em artes e em direito e fundador da Sociedade de Psicologia Aplicada. Dr. Hilton escreveu uma série de doze livros em 1914, da qual Hill tirou muitas citações.

Esta palestra, "O que aprendi analisando dez mil pessoas", é o resultado direto do trabalho que começou com Andrew Carnegie em 1908. Além de entrevistar Carnegie, Thomas Edison, George Eastman, Henry Ford e vários outros homens bem-sucedidos de sua época para descobrir os métodos que os levaram ao sucesso, Hill também conduziu várias entrevistas para entender por que as pessoas fracassam. Elas geralmente aconteciam sob a forma de um questionário que aplicava em suas palestras e aulas, ou distribuía pelos correios.

Hill preparava suas aulas em uma antiga máquina de escrever L. C. Smith e dava cópias aos alunos no Instituto George Washington. Essa aula aconteceu em 1917. Sob a assinatura de "Napoleon", ela ficou nos arquivos da Fundação Napoleon Hill por mais de noventa anos.

Na sua palestra "O que aprendi analisando dez mil pessoas", Hill resume os cinco requisitos principais para o sucesso. Ele enumera "autoconfiança" e "entusiasmo" como os traços mais importantes para o sucesso. O terceiro requisito necessário para o sucesso era um "plano de trabalho definido" ou aquilo a que ele se referia como "meta central na vida". Hoje a expressão mais comum é "objetivo principal". O quarto requisito era "o hábito de fazer mais do que a obrigação". Esse requisito elucidava o seu princípio de *Andar uma milha a mais*, que consiste em fazer algo sem permissão e ir além das expectativas sem ter que receber instruções para isso. Hill enumerou "concentração" como o quinto requisito, afirmando que esse era um requisito necessário para o sucesso em qualquer tarefa.

– Don M. Green

O QUE APRENDI ANALISANDO DEZ MIL PESSOAS

Napoleon Hill

Durante os últimos oito anos, analisei mais de dez mil homens e mulheres que procuravam honestamente seu lugar no mundo do trabalho. Por acaso, o meu trabalho me levou a descobrir algumas das qualidades principais sem as quais nenhum ser humano pode esperar ter sucesso. Cinco delas estão descritas neste artigo.

Também descobri algumas das coisas que decepcionam as pessoas e que as fazem sentir como verdadeiras fracassadas. Eu realmente espero que todos que leiam este artigo possam tirar proveito de um ou mais pontos de que ele trata. Estou colocando os resultados das minhas descobertas no papel apenas por conta do meu profundo desejo de facilitar um pouco a trajetória de vida de meus semelhantes.

É meu propósito fazer chegar até você, da forma mais breve possível, a parte das minhas descobertas que acredito que irá ajudá-lo a *planejar* e *conquistar* o seu "objetivo principal" na vida, não importa qual seja. Eu não vou pregar. Todas as minhas sugestões são baseadas em descobertas que fiz ao longo do meu trabalho.

Quem assiste enriquece

Acredito que vale dizer que, vinte anos atrás, eu trabalhava como operário, ganhando um dólar por dia. Eu não tinha casa nem amigos e havia estudado muito pouco. Meu futuro não parecia nada promissor. Meu coração estava desolado, sem nenhuma ambição. Não havia nenhum propósito na minha vida. À minha volta, só havia homens abatidos, fossem jovens ou velhos – e era exatamente assim que eu me sentia. Eu absorvia aquele ambiente como uma esponja absorve a água. Assim, tornei-me parte da rotina diária em que eu vivia.

Nunca me passou pela cabeça que eu pudesse conquistar alguma coisa. Acreditava que meu destino era ser operário. Sentia-me como um cavalo amordaçado, com uma sela nas costas.

Mas houve um momento de virada na minha carreira. Preste atenção: um comentário ao acaso, feito de forma um tanto brincalhona, me fez tirar a mordaça da boca, me desfazer da sela e sair correndo, assim como fazem os cavalos selvagens. Esse comentário foi feito por um fazendeiro com quem eu convivia. Nunca vou esquecê-lo, nem que eu viva cem anos, porque foi o que me abriu os olhos sobre aquele terrível abismo em que quase nenhum ser humano quer cair: o fracasso.

Seu comentário foi: "Você é um garoto esperto. É uma pena que não esteja na escola, mas trabalhando como operário por um dólar por dia!".

"Você é um garoto esperto!" foram as palavras mais gentis que eu já havia ouvido.

Aquele comentário despertou a minha *primeira ambição* e, não por acaso, está diretamente relacionado ao sistema de Análise Pessoal que desenvolvi. Ninguém nunca havia me falado que eu era "esperto". Sempre me imaginei como um sujeito burro. Na verdade, me falavam que eu era estúpido. Quando criança, todas as minhas tentativas fracassavam, em grande medida, porque eu me relacionava com pessoas que me ridicularizavam e me desencorajavam a fazer as coisas que mais me interessavam. Meus trabalhos me foram impostos, meus estudos me foram impostos, e quanto às brincadeiras, bem, me ensinaram que brincar era uma perda de tempo.

Tendo consciência dessa grande desvantagem que acompanha a maioria das pessoas ao entrarem no mercado de trabalho, comecei, muitos anos atrás, a desenvolver um sistema para ajudar as pessoas a "se encontrarem" o mais cedo possível. Meus esforços renderam resultados incríveis, e comecei a plantá-los na estrada rumo ao sucesso e à felicidade. Já ajudei muita gente a adquirir as qualidades necessárias para o sucesso que estão mencionadas neste artigo.

Os dois primeiros requisitos para o sucesso

Neste preâmbulo vou lhes contar quais são, na minha opinião, os dois requisitos mais importantes para o sucesso. Dentre todos os cinco, acredito que *autoconfiança* e *entusiasmo* se destaquem. Sobre os outros três, falarei mais adiante.

Quase 90% das pessoas que analisei não exibiam essas duas qualidades. Analisei homens que eram fortes física e mentalmente – homens com boa educação, alguns deles com grau universitário, mas que se sentiam tão perdidos quanto eu me sentia quando ouvi aquele fazendeiro me dizer: "Você é um garoto esperto".

Minha primeira tarefa ao aconselhar pessoas sem autoconfiança é salvá-las de si mesmas. Metaforicamente, é preciso soltá-las no campo e deixá-las correr livres, assim como um cavalo faria. Elas devem descobrir suas próprias forças, devem entender que suas fraquezas só existem nas suas próprias mentes traiçoeiras. A maneira como as faço se dar conta disso varia a cada indivíduo.

A diferença entre um homem de sucesso e um fracassado não é necessariamente a capacidade intelectual. A diferença geralmente está no uso que fazem de suas habilidades latentes. Isso não é só uma suspeita: é uma certeza. Aprendi na prática, analisando pessoas. Geralmente, aquele que se desenvolve e usa todas as suas capacidades latentes é uma pessoa com uma autoconfiança elevada.

O que é autoconfiança? Vou lhe contar: é uma janela de vidro através da qual você olha e vê o real poder dentro de você. Autoconfiança é autodescoberta – é descobrir quem você é e o que você pode fazer. É expulsar o medo, é encontrar coragem mental. É acender a luz da inteligência humana usando o bom senso.

Foi a autoconfiança, junto com o entusiasmo e a concentração, que permitiram que as maiores invenções da humanidade surgissem: a lâmpada elétrica incandescente, o automóvel, o telefone, o avião, os filmes e todas as outras grandes criações mecânicas.

> **"A autoconfiança é uma qualidade essencial para todas as grandes realizações."**

A autoconfiança é, portanto, uma qualidade essencial para todas as grandes realizações. E, ainda assim, é a qualidade que falta na maioria de nós – não é uma fraqueza que costumamos perceber, mas ela está lá. Uma pessoa sem autoconfiança é como um navio sem leme: perde tempo indo na direção errada.

Eu gostaria de poder dizer para você exatamente o que fazer para conquistar autoconfiança plena. Seria uma tarefa ambiciosa. Mas vou lhe dar uma sugestão: Eu dei os primeiros passos rumo à autoconfiança no dia em que ouvi as palavras "Você é um garoto esperto". Foi a primeira vez que senti a ambição penetrando em mim, e com ela veio a autoconfiança.

Um dos meus melhores amigos se tornou um dentista bem-sucedido depois dos 35 anos de idade, após um comentário feito pela sua esposa. Ele estava examinando os dentes postiços da esposa quando ela lhe disse:

"Você poderia fazer dentes como esses". Naquele mesmo dia, ele começou a tentar, e logo estaria deixando para trás a vida de fazendeiro infeliz para se tornar um dentista de sucesso.

Em uma das minhas turmas, havia um jovem que tinha tido uma educação muito privilegiada, mas, até pouco tempo atrás, era o aluno mais fraco da sala. Ele tinha muitas habilidades, mas lhe faltava a autoconfiança necessária para fazer bom uso delas. Há algumas semanas, conheci uma garota por quem ele se apaixonou. Ela lhe disse que *acreditava nele*. Ele acreditou nessas palavras e, como consequência, começou a ganhar autoconfiança. Três semanas foram suficientes para transformá-lo, e hoje ele é um dos nossos melhores alunos.

É notável como as nossas roupas se relacionam com a nossa autoconfiança. Um homem veio conversar comigo. Ele tinha um bom salário, mas algumas condições sobre as quais não tinha controle o estavam afetando. Perguntei quanto dinheiro ele tinha, e a resposta foi: "Setenta e cinco dólares". Aconselhei-o a investir um terço daquilo em roupas novas. Ele, envergonhado, disse que "não tinha condições". Mas insisti, e fomos juntos comprar roupas. Em seguida, insisti para que fosse ao sapateiro consertar o salto dos seus sapatos. E o convenci a lustrar os sapatos e a fazer a barba e o cabelo. Em seguida, fiz com que ele fosse conversar com o presidente de uma grande empresa, que o contratou por três mil dólares ao ano.

Se ele tivesse ido para a entrevista com o presidente daquela empresa sem as roupas novas e o "trato", provavelmente não teria conseguido o emprego, porque não teria a autoconfiança necessária. Roupas decentes, limpas e alinhadas e uma boa aparência não são artigos de luxo – são mais do que necessárias para quem está sempre em contato com pessoas de negócios.

Essas são algumas das maneiras que sei que ajudaram pessoas a dar o primeiro passo para adquirir autoconfiança. Percebi que não há autoconfiança sem ambição: elas andam de mãos dadas.

O SEGUNDO REQUISITO
PARA O SUCESSO

O segundo requisito para o sucesso é o *entusiasmo*, essa incrível força dinâmica que transforma a autoconfiança em ação. O entusiasmo pode ser comparado ao vapor que move a locomotiva. A locomotiva mais potente já construída pode ficar parada nos trilhos com carvão nos silos e um maquinista na direção, mas, se não houver vapor, as rodas não vão girar – não há ação.

É exatamente o que acontece com a máquina humana. Se não houver entusiasmo, não haverá ação. A falta dessas qualidades – autoconfiança e entusiasmo – é o que se coloca entre a grande maioria das pessoas e o sucesso. Essa frase não é só uma conjectura de minha parte. Eu a constatei em centenas de casos e venho comprovando-a em centenas de outros casos por semana até hoje. O entusiasmo não é algo que possa ser simulado. Apenas o entusiasmo genuíno vai funcionar, e ele acontece automaticamente quando você encontra a vocação à qual você quer se dedicar de corpo e alma – é o trabalho que você ama desempenhar.

O TERCEIRO REQUISITO
PARA O SUCESSO

O terceiro requisito para o sucesso é um *plano de trabalho definido* – o hábito de trabalhar com um "objetivo principal" na vida.

A partir do meu trabalho como orientador vocacional, descobri que a maioria das pessoas não tem um plano assim. As pessoas trabalham sem um plano bem definido – sem um objetivo pré-determinado –, sem saber aonde estão indo, e a maioria delas não chega a lugar nenhum. No meu Quadro de Análise Pessoal, que todos que analiso devem preencher, a pergunta é: "*Qual é o seu objetivo principal na vida?*".

Uma tabulação das respostas para essa pergunta mostra que apenas uma em cada cinquenta pessoas tem um "objetivo principal". Mas poucas delas têm qualquer tipo de objetivo, seja "principal" ou não. E, apesar disso, quase todas as pessoas que analisei esperam o sucesso. Só que a maioria delas não ousa dizer quando, como ou com que trabalho esse sucesso vai acontecer.

Há algumas semanas, parei para ver alguns homens trabalhando em um arranha-céu. Era uma construção imensa, que se destacava entre os outros prédios ao seu redor. Um elevador desceu, pegou uma pequena viga de aço, ergueu-a até a posição correta, e então os operários a colocaram na estrutura daquele belíssimo prédio.

Então me ocorreu: esse prédio é só a soma total de tijolos, madeira, vigas de aço e materiais de construção, montados de acordo com um *plano definido*. O mesmo pensamento pode ser aplicado quando analisamos pessoas bem-sucedidas. Quem está numa posição de prestígio conquistou aquela posição a partir de diversas tarefas menores que foram bem executadas.

Quase todo mundo quer uma "posição de prestígio", mas nem uma em cada cem pessoas, mesmo que competentes, sabe como chegar lá. Uma "posição de prestígio" não é algo que dá em árvores, que se fica esperando para ser colhido pela primeira pessoa que passar. Ela é a soma total de pequenas posições ou tarefas que foram executadas com eficiência – não necessariamente em empresas diferentes, mas frequentemente trabalhando em uma mesma empresa. Uma posição de prestígio é construída da mesma forma como se constroem os arranha-céus: tudo começa com um plano definido, e a construção deve seguir aquele plano, passo a passo.

A exceção possível a essa regra diz respeito às pessoas que conseguem uma "posição de respeito" com um "empurrãozinho". Há exceções à maioria das regras, mas a pergunta que você deve se fazer é: "Estou disposto a passar a vida toda esperando um 'empurrãozinho'?". Olhe à sua volta, e ouso dizer que, para cada pessoa que teve um "empurrãozinho", você encontrará outras cem que estão crescendo por méritos próprios.

> **"Você não terá sucesso sem um objetivo definido
> e sem um plano para chegar lá."**

Há diversos graus de sucesso, assim como há diversos conceitos sobre o que é sucesso, mas, não importa se você o entende como a acumulação de riqueza ou a criação de algo incrível para a humanidade, você não irá conquistá-lo se não tiver um "alvo certo" – um objetivo definido, com planos definidos para chegar lá.

Nenhum arquiteto jamais começou um prédio sem ter criado uma imagem perfeita em sua mente e transferido, cuidadosa e detalhadamente, essa imagem para o papel. E nenhum ser humano pode esperar ter sucesso de fato sem ter planejado o seu prédio e decidido como ele será.

Descobri, por meio do meu trabalho como orientador vocacional, que apenas uma a cada cem pessoas planejou e decidiu o que fazer no próximo ano. Apenas uma a cada cem delas tem planos para os próximos cinco anos, e ainda não conheci ninguém que tenha planejado seus próximos dez anos.

Você consegue imaginar por que 95% das pessoas do mundo estão trabalhando para as outras 5%? Você consegue imaginar por que tantos homens e mulheres passam a vida sem poupar nada para a velhice? Você já parou para pensar por que algumas poucas pessoas sobem na vida enquanto todo o resto só acumula fracassos?

Vale a pena fazer uma autoanálise e perceber como está sua autoconfiança, entusiasmo e definição de propósito ou "objetivo principal" na vida.

A escolha da vocação

Grande parte das pessoas que analiso está no cargo em que está não por escolha, mas por acaso. Mesmo aquelas que estão em carreiras que escolheram, na maioria das vezes, não se deram ao trabalho de observar as regras de autoanálise mais elementares. Nunca pararam para tentar descobrir se o trabalho em que estão é de fato o que melhor se encaixa naquilo que são ou naquilo para o que se prepararam.

Por exemplo, um jovem que analisei há pouco tempo havia estudado Direito, mas era um completo fracasso profissional. Ele fracassou, primeiro, porque não gostou da profissão depois de começar a trabalhar; segundo, porque não tinha o menor dom para aquilo. Ele tinha uma péssima forma física e, consequentemente, causava uma má impressão nos tribunais e júris. Faltavam-lhe o entusiasmo e a força dinâmica que chamamos de "personalidade", sem a qual ele não poderia nem sonhar em dar certo como advogado. Essa pessoa poderia até dar certo como assessor jurídico ou "advogado de escritório", mas nunca nos tribunais, onde uma personalidade forte e a habilidade de falar com força e convicção importam muito.

A parte surpreendente desse caso em particular foi o fato de aquele homem não entender por que ele não dava certo como advogado, mas isso ficou muito claro para ele depois de eu apontar os aspectos negativos que me pareciam estar se colocando entre ele e o sucesso. Quando lhe perguntei por que decidira cursar direito, ele respondeu: "Bem, eu tive a impressão de que iria gostar!".

"Eu tive a impressão de que iria gostar." Escolher sua carreira com base numa "impressão" é muito perigoso. Você não compraria um cavalo de corrida com base numa "impressão"; você iria querer vê-lo correndo nas pistas. Você não compraria um cão de caça por causa de uma "impressão"; você iria querer vê-lo em ação ou saber algo sobre seu *pedigree*. Se você escolher um cão de caça aleatoriamente, pode acabar tendo que caçar às cegas!

Quem assiste enriquece

Um escrivão judiciário que analisei me disse: "Meus quinze anos de experiência me mostraram que um júri raramente julga o réu, mas sim os advogados que estão trabalhando no caso. O advogado que causa a melhor impressão geralmente ganha". Qualquer um que conheça um pouco sobre ações judiciais sabe que isso geralmente é verdade. Você pode ver, então, como a "personalidade" tem um papel importante na prática do Direito.

Minha experiência como orientador vocacional me mostrou que muitos fracassos nos negócios se devem ao fato de as pessoas escolherem seus parceiros e entrarem em empreendimentos com base em "impressões". Pessoas que seriam excelentes engenheiros trabalhando no varejo, e vice-versa – pessoas que provavelmente teriam competência para administrar um comércio trabalhando como engenheiros. O resultado, nos dois casos, geralmente é o fracasso.

Outro erro comum que as pessoas cometem ao selecionar parceiros de negócios é escolher entre amigos e pessoas que têm educação e temperamento parecidos com os delas mesmas. Há alguns anos, três jovens criaram uma empresa. Todos eles eram executivos de sucesso que trabalhavam para uma empresa do mesmo ramo no qual entraram posteriormente por iniciativa própria. Eles tinham o capital necessário, mas cometeram um erro fatal: não contrataram um gerente comercial competente. Esses jovens eram todos excelentes com finanças, mas o negócio precisava de algo além de gestão financeira. Eles precisavam de alguém com tino para os negócios. Uma firma ideal seria composta por um homem das finanças, um gestor comercial competente e alguém com experiência em compras. Ao selecionar a equipe, seria melhor se contratassem pessoas que trouxessem à firma alguma competência que eles mesmos não tinham.

Toda empresa precisa ter pessoas de diferentes temperamentos e habilidades. Um tipo de pessoa funciona como a roda, enquanto a outra representa o motor. O conjunto desses dois tipos compõe a organização ideal.

O Sr. Carnegie diz que o seu sucesso se deve em grande parte à sua habilidade em escolher pessoas. Frank A. Vanderlip e John D. Rockefeller dizem o mesmo. Se você parar para analisar todos os homens bem-sucedidos que conhece, provavelmente descobrirá que ou eles têm todos os requisitos necessários para o sucesso no negócio em que atuam, ou sabem selecionar pessoas que suprirão o que lhes falta – pessoas que são opostas em quase todos os detalhes.

Provavelmente 50% daqueles que se consideram vendedores têm uma aparência pessoal medíocre, rostos frágeis e uma fala sem ânimo. Um vendedor transmite para seu cliente potencial uma influência positiva ou negativa, de acordo com a sua própria personalidade e maneira de lidar com cada caso. Uma pessoa com uma péssima forma física, que tem dificuldades de fala, ou que passa uma impressão negativa de qualquer forma, não deveria se envolver com vendas. Se ela puder se esconder por trás das palavras escritas, poderá até obter êxito – mas pessoalmente, jamais!

É geralmente a aparência pessoal do pastor e a maneira como ele prega a palavra que conquistam os seus seguidores. Se você lesse um dos sermões de Billy Sunday antes de ouvi-lo, você se perguntaria como ele conseguiu influenciar tantas pessoas. Sem sua personalidade agradável e seu modo característico e marcante de pregar, seus sermões soariam frios e mesquinhos, talvez até repulsivos.

O QUARTO REQUISITO PARA O SUCESSO

O quarto requisito para o sucesso é *o hábito de fazer mais do que a obrigação*. A maioria das pessoas costuma não fazer nada além daquilo que sente que está sendo paga para fazer. Quase 80% de todas as pessoas que analisei sofriam por conta desse grande erro.

Você não precisa ter medo da concorrência de uma pessoa que diz "Não estou ganhando para isso, então não vou fazer". Ela nunca será uma ameaça perigosa para o seu emprego. Mas muito cuidado com o cara que não perde nenhuma oportunidade ou com quem só sai da mesa ou da estação de trabalho quando o trabalho de fato termina – cuidado com o sujeito que não "ameaça de início, mas ultrapassa no final", como Andrew Carnegie dizia.

Antes de mencionar o quinto e último requisito para o sucesso, peço que me acompanhe em uma pequena divagação. Depois que comecei a trabalhar neste artigo, decidi colocar à prova os cinco pontos de que estou tratando para ver se eles se alinhavam com as experiências de outros orientadores vocacionais. Levei o manuscrito para o Dr. J. M. Fitzgerald, de Chicago, que é provavelmente o orientador vocacional mais talentoso do mundo.

O Dr. Fitzgerald analisou o manuscrito palavra por palavra, e tenho sua permissão para dizer que ele concorda plenamente com os cinco pontos tratados neste artigo. Ele diz que esses pontos se alinham perfeitamente com a sua própria experiência. Mas antes de analisarmos o manuscrito, pedi ao Dr. Fitzgerald que me dissesse quais eram os maiores defeitos que ele acreditava serem as barreiras que impediam as pessoas que ele analisou de atingirem o sucesso. Sua resposta foi rápida e sucinta, como se vê a seguir:

1. Falta de autodiscernimento: poucas pessoas têm a capacidade de se autoanalisar e de encontrar o trabalho para o qual são mais bem preparadas.
2. Falta de concentração profunda e de disposição para se dedicarem ao trabalho mais do que se espera delas.
3. Falta de autocontrole mental.

Dr. Fitzgerald analisou pessoalmente mais de quinze mil homens e mulheres. A maioria das grandes empresas do Meio-Oeste não contrataria um sujeito para um cargo importante sem antes passar pela análise do Dr. Fitzgerald. Ele tirou homens de tarefas contábeis e os capacitou para que se tornassem executivos de sucesso, e transformou auxiliares em gerentes em muito menos tempo do que normalmente seria necessário, simplesmente os colocando no caminho certo por meio de uma análise pessoal precisa.

Eu estou lhe contando esses detalhes sobre o trabalho do Dr. Fitzgerald porque quero que você perceba que a minha própria experiência, como descrita neste artigo, não é apenas fruto de minhas conjecturas – mas que é, sim, autêntica e ratificada pelos maiores analistas pessoais do mundo. Tenha em mente que os cinco pontos principais tratados neste artigo foram descobertos, classificados e tabulados a partir da análise pessoal de 25 mil pessoas, dez mil que analisei e as outras quinze mil analisadas pelo Dr. Fitzgerald.

O quinto requisito para o sucesso

Chegamos então ao quinto e último requisito para o sucesso, que descobri por meio do meu trabalho como orientador vocacional. Eu disse anteriormente, e ainda direi muitas vezes, que esse é o mais importante dos cinco pontos tratados neste artigo.

O último requisito para o sucesso é a concentração.

Você precisa se convencer imediatamente de que precisa de concentração se quiser ter sucesso em qualquer projeto.

Você pode ter todo o conhecimento necessário para o sucesso em qualquer projeto – você pode até ser uma enciclopédia ambulante, pode ter uma boa educação, ter experiência –, mas, se não direcionar essas energias de maneira sistemática, elas não serão úteis nem para você, nem para o mundo.

Temos um rapaz aqui na escola que é um gênio em muitos aspectos. É um marceneiro fantástico, um dos melhores eletricistas que já conheci. É um encanador incrível e, como mecânico, há poucos melhores do que ele. É um verdadeiro artista com um pincel na mão, um decorador talentoso e muito mais, mas a verdade é que ele continua trabalhando por dezoito dólares por semana.

Se ele tivesse dedicado todo o seu tempo ao trabalho de eletricista, poderia ganhar facilmente trinta dólares por semana, ou mais. Mas ele insiste em continuar fazendo tudo o que aparece. O seu poder de concentração é nulo!

Aprenda a se concentrar

Eu não preciso dar mais provas de que o poder da concentração é essencial para o sucesso. Você sabe tão bem quanto eu. O que você provavelmente quer saber é: "Como posso aprender a me concentrar?".

Compartilhei uma parte da minha versão sobre como aprender a se concentrar em um texto intitulado "A grande chave mágica para o sucesso". Agora vou dar uma explicação mais científica sobre concentração, desenvolvida por um dos mais famosos psicólogos norte-americanos, o Dr. Warren Hilton, que diz o seguinte (*antes que você leia o que Dr. Hilton tem a dizer, quero que saiba que suas explicações são validadas por homens notórios como o finado professor Hugo Münsterberg, da Universidade de Harvard, professor George Trumbull Ladd, da Universidade de Yale, professor Knight Dunlap, da Universidade John Hopkins, e por muitos outros cientistas e psicólogos reconhecidos. Suas explicações são baseadas em testes fisiológicos e psicológicos realizados no laboratório da Sociedade de Psicologia Aplicada*):

De maneira geral, concentração é definida como "o ato de reunir algo em torno de um ponto ou foco central". A concentração mental é, portanto, dirigir a mente a um objeto ou ponto.

Não há nada de anormal sobre o tipo de concentração a que nos referimos. O seu caráter individual ou personalidade é formado pelos resultados progressivos dos seus hábitos de concentração de atenção aplicados. Todas as suas convicções sobre qualquer assunto, de política a religião, são consequências da maneira como você concentrou a sua atenção.

Todas as convicções ficam, portanto, embrulhadas e guardadas em alguma rede de pensamentos do passado. Elas fazem parte da sua personalidade. Elas irão resistir, com todo o poder de sua energia inata, contra o estabelecimento de crenças distintas na sua mente.

As broncas de uma mãe podem ficar enraizadas de maneira tão profunda na mente de seu filho que qualquer aprendizado ou impulso contrário será bloqueado. Não há argumento que dissipe a fé que a religião arraigou na mente de um verdadeiro convertido. Só as evidências mais robustas poderão acabar com a confiança de um homem no caráter de um amigo acusado.

A vida é feita de experiências. *E a influência de todas as experiências no seu comportamento e caráter depende do grau de concentração de atenção com o qual elas foram vividas.*

Portanto, todas as ideias na memória tendem a direcionar a mente às coisas que a ela se associam no tempo ou no espaço, e a medida de sua influência depende de sua intensidade. Todos os tons suaves da voz ainda vívida da pessoa amada tendem a concentrar as atividades da sua consciência naquelas coisas que se associam ao objeto de afeição. Toda a efetividade das propagandas, vitrines, demonstrações, prospectos, de todos os artifícios dos homens de negócios, de toda a lábia de um vendedor, depende de como eles são capazes de influenciar e atrair a concentração da atenção daqueles a quem se dirigem.

A mera presença de uma ideia na consciência não significa concentração. Se você sugere para alguém que uma névoa branca do outro lado de um campo é um fantasma, a ideia passará momentaneamente pela consciência da pessoa, e você pode até conseguir direcionar a atenção dela a um conceito abstrato. Mas se ela acreditar em espíritos e ficar aterrorizada e convencida de que, de fato, viu um fantasma, houve então uma concentração de sua consciência, em sentido científico.

Nem todas as ideias apresentadas à consciência se materializam em crenças ou resultam em ações. Em um primeiro momento, o pensamento do "fantasma" foi ativado na mente da pessoa, *mas outras ideias e impulsos conflitantes se apresentaram ao mesmo tempo, negando a sua realidade.* Em um segundo momento, no entanto, sua consciência ficou totalmente voltada à ideia do "fantasma" que você apresentou. *Não havia ideias e impulsos inibidores.* A pessoa aceitou o pensamento e acreditou na sua realidade e, como seus impulsos tiveram toda a liberdade, ela agiu com base neles.

A concentração, interpretada de forma técnica, necessariamente implica crença na ideia que é o objeto da concentração. E essa crença libera os impulsos para as respostas musculares adequadas.

Como, então, devemos definir concentração? Simplesmente assim: *concentração é o direcionamento da consciência a determinada ideia de tal forma que, se materializada, irá superar todas as ideias conflitantes e resultar em uma crença que controlará o comportamento.*

Quando dizemos "materializar", queremos dizer que a ideia em questão deve ter uma *influência inegável* na consciência. Quando isso ocorre, a ideia será assimilada de forma a se incorporar na personalidade. Você a aceita como verdade, você acredita nela. Essa crença se torna uma parte da sua personalidade. Ela é, de fato, sua.

Então acontece que a concentração eficiente necessariamente resulta em *crença* aliada à tal *atividade muscular*, pois ela se alinha ou tende a concretizar a realização daquela crença. *Uma convicção dominante e um desejo eficiente são, portanto, os resultados imediatos da concentração profunda.*

A concentração mostrará seu valor de duas formas:

1.
Ela lhe oferece um conhecimento especializado e minucioso sobre as coisas e faz de você um especialista na sua área.

Contam que Agassiz costumava trancar um aluno em uma sala por dias junto com a cabeça de uma tartaruga e só o liberava quando ele tivesse aprendido tudo que houvesse para aprender naquela situação. Alguns conseguiam a façanha após meses de contemplação solitária. Outros nunca conseguiram. Os que tiveram êxito foram os que criaram o hábito da concentração. Eles mereciam o título de "naturalista" que Agassiz lhes concederia. Os fracassados ficaram para sempre "apagados do livro da honra e da vida".

Então aprenda a se concentrar, porque sem isso você não conseguirá nem fazer de conta que sabe alguma coisa. Essa é a era dos especialistas, e a essência da especialização é o conhecimento minucioso sobre uma única coisa.

Poucas pessoas se dão conta da importância que a meticulosidade tem na vida de um homem de sucesso. O homem milionário geralmente ganhou cada centavo do seu dinheiro fazendo tudo que se comprometeu a fazer, de uma forma ligeiramente melhor do que o seu próximo.

O homem médio é superficial. Seu lema é "Aparência, não essência". Ele está disposto a "se satisfazer com o suficiente" e tem um conceito bem modesto do que é "suficiente". Seu concorrente precisa desenvolver só um pouco de meticulosidade e rigor para superá-lo.

O que você faz hoje não é nada mais do que o treino para aquilo que você fará amanhã, e se você fizer tudo aquilo com que se comprometer, como se a sua própria vida dependesse disso, a sua capacidade de fazer coisas incríveis irá aumentar na mesma proporção.

A verdade é que a meticulosidade é a característica distintiva do super-homem, e o segredo dela é a concentração mental.

2.
(E este item é o mais importante dos dois.) *Concentração, queira você ou não, irá necessariamente levá-lo adiante, com toda a sua energia, na sua busca de um objetivo determinado, até que você chegue aonde queria.*

O fluxo da sua consciência é uma corrente viva, é uma enxurrada explosiva e agitada de atividades.

Olhe para dentro e verá o que está acontecendo neste momento. Você perceberá que está fazendo comparações, notando diferenças, associando uma coisa a outra, selecionando e tendo algumas ideias, sentimentos e impulsos, enquanto ignora milhões de outros.

Isso é o que chamamos de consciência. Não se trata de uma corrente aleatória. Ela não corre pelas montanhas e vales da vida se adaptando aos contornos do ambiente físico. É uma corrente que, se necessário, pode levar para cima. É a consciência com um "desejo". É ela que trabalha para preservá-lo, para promover o seu desenvolvimento livre e para fomentar o seu sucesso.

Coloque em prática

Habitue-se a se concentrar em assuntos pertencentes a um único domínio e você *será tomado por ele como um ideal*. Você passará a ter um padrão segundo o qual avaliar o valor que atribui aos fatos da sua vida.

Habitue-se a se concentrar em um interesse único e assim irá adquirir automaticamente uma competência *inibidora* e completamente dominadora.

Sem nem perceber, você deixará de realizar diversas atividades inúteis, renunciará aos prazeres e diversões que interfiram na realização do seu objetivo principal e aos desgastes desnecessários de suas emoções. Uma única hora de raiva que você evitar irá lhe poupar energia para um dia inteiro.

Habitue-se a se concentrar em um assunto único e você chegará a um ponto ideal que irá automaticamente operar as alavancas do autocontrole.

Você terá uma máquina mental operando de maneira econômica, uma máquina bem azeitada que funcionará automaticamente, sem atrito, sem esforços e quase sem pensar.

Isso não significa que você ficará sem as paixões que acendem o fogo da realização heroica. Concentração, em seu sentido maior, significa *absorção, devoção apaixonada a uma causa*. Significa o estado mental de pessoas que o apóstolo Paulo descreveria como "fervorosos" – literalmente, "com o espírito fervendo".

A concentração absoluta significa a aglomeração de todos os átomos da energia humana individual em torno de um propósito único. É o auge da eficiência.

De maneira geral, as suas emoções e desejos consomem sua energia e o desgastam sem nenhum motivo.

Organize e concentre essas competências e a única pergunta que ficará sem resposta é "Que objetivo devo conquistar?".

Seja uma pessoa concentrada e você será, então, uma pessoa com propósito, com fé na concretização desse propósito.

Seja uma pessoa concentrada e terá coordenação mental, harmonia e unidade, que irão colocá-lo acima dos pequenos aborrecimentos e livrá-lo de obstáculos como humores, inquietações e descontentamentos.

Concentre-se em um propósito único. Mantenha os seus ideais em primeiro lugar. Assim você não deixará de concentrar todas as suas atividades na finalidade desejada. *Os impulsos musculares só serão acionados quando associados a* ações relacionadas ao pensamento do desejo.

Concentre-se em um propósito único e você terá um padrão ideal segundo o qual analisar as oportunidades da vida. Você escolherá de modo natural, inteligente e sem hesitação as oportunidades que contribuirão com o seu propósito. Você escolherá com sabedoria alguns prazeres e diversões, e descartará tantos outros. Você terá uma medida precisa para distinguir luxos de necessidades.

Concentre-se em um propósito único e, quando menos esperar, certamente chegará o seu momento, a sua chance, e você irá agarrá-la com todas as suas forças.

Essa é a lei do sucesso. Foi isso que Lincoln quis dizer, embora não da mesma forma, quando falou: "Vou estudar e me preparar, e algum dia, minha chance virá".

Você influenciaria a mente das pessoas? O mesmo princípio se aplica nesse caso. As pessoas que você conhecerá são problemas a serem resolvidos. Use o método de Agassiz. As pessoas têm preferências, tendências, humores, hábitos e interesses que você deve levar em consideração. Elas têm rancores, determinações, preconceitos, inércias e resistências que devem ser levados em conta. Assim como você, elas são seres de consciência, criaturas feitas de impulsos e inibições.

Não tente forçá-las. Não use métodos coercitivos.

A sua tarefa é conseguir com que elas se tornem indiferentes a tudo que tende a dificultar a ação desejada. Não perca o seu tempo tentando dissuadi-las de ideias que vão contra o seu propósito.

A consciência das pessoas não para nunca. Elas precisam se manter ocupadas. A maneira de bloquear pensamentos indesejados é preenchendo a mente com outras coisas. Portanto, *concentre a atenção das pessoas em você e nas suas demandas*. Tendo feito isso, a sua causa está ganha. Você ganhou o dia.

Waldo P. Warren disse: "Sua habilidade de mover as coisas depende em grande parte de onde você se apoia. Nunca vou me esquecer da primeira vez que vi uma roda-gigante – a maravilha dos parques de diversão.

"O que mais me impressionou não foi o seu tamanho, mas o fato que, apesar do seu gigantismo, ela precisava apenas de um motor relativamente pequeno para funcionar. Porque, diferentemente da maioria das rodas, a energia não era aplicada em seu centro, mas na sua circunferência, utilizando, portanto, uma extraordinária alavanca de quase sessenta metros. A mesma força, se exercida no eixo, não seria suficiente para fazer a roda se mover nem um centímetro.

"O princípio da alavanca não se restringe às coisas mecânicas – é, na verdade, uma das ideias mais incríveis que a humanidade já descobriu.

"Quando o desenvolvimento do seu projeto for prejudicado por obstáculos, seja ignorância, preconceito, injustiça ou atrasos, lembre-se do princípio da alavanca. Em algum lugar, há um movimento que desencadeará uma série de eventos que acabará transpondo até o maior dos obstáculos. Não pressione o centro de uma roda pesada – mexa na engrenagem que se encaixa no aro".

Assim como no caso do autodomínio, ao influenciar outras pessoas, o verdadeiro teste da eficiência, o segredo do sucesso está na habilidade de concentrar a atenção.[1]

A arte da concentração

"Ah, mas como vou me concentrar?", você pode dizer. "Nunca consegui concentrar nem a minha própria atenção, muito menos a de outras pessoas."

Tenha paciência, meu amigo! A arte da concentração é algo que você deve aprender. Existem *métodos* e *dispositivos* que, se usados com convicção, colocarão essa competência ao alcance de qualquer um. Mas, primeiramente, você precisa se dar conta do amplo alcance dessa arma poderosa. Você deve saber algo sobre os processos e os princípios subjacentes ao seu uso científico.

Queremos que você trate essas incríveis verdades com reverência e espanto; e não só por causa do seu valor intrínseco, mas também pela sua influência na construção da história da humanidade. Porque tudo de mais incrível na religião, na guerra, na arte e na ciência, em qualquer esforço nobre, se deve à concentração, à concentração de talentos divinos com uma fé inabalável em um propósito grandioso.

Foi a concentração que fez Alexandre conquistar o mundo e desejar ainda mais mundos para conquistar. Foi a concentração que fez Confúcio dedicar sua vida de incontáveis sofrimentos a grandes ensinamentos e fez Sócrates preferir o copo de cicuta à negação de seus princípios. Foi ela que criou Zaratustra, em tempos imemoráveis. Ela deu origem a Maomé, o profeta das Arábias. E com sua luz inabalável, veio o fundador do cristianismo, o Nazareno.

Aqui nos Estados Unidos, foi a concentração que nos deu Washington e que inspirou Lincoln. Foi a concentração que construiu o primeiro barco a vapor, que inventou o descaroçador de algodão, que descobriu o segredo da telegrafia, que fez de Edison o "mago da eletricidade". Foi a concentração que ergueu Rockefeller e Morgan até os limites da opulência. Foi a concentração que, em todo o país e com base em uma fé sólida, preservou a integridade nacional durante as mazelas da guerra.

> "A concentração ergueu Rockefeller e Morgan até os limites da opulência."

Em nenhum desses exemplos houve uma concentração *deliberada* de forças mentais. Um *desejo* avassalador e profundo foi, em todos os casos, despertado por outras influências que não a ação da vontade individual.

Mas o estudo e a prática da concentração deliberada, da concentração voluntária, da *concentração como arte* não é algo novo. Ele já apareceu de diversas formas ao longo de toda a história da humanidade, entre todas as raças e nações, em todos os tempos desde que o mundo é mundo.

A prática da concentração como arte sempre esteve envolta em ocultismo e mistério. Isso acontece porque seus devotos têm um conhecimento meramente empírico a respeito. Eles observam o que pode ser conquistado por meio de métodos e ferramentas de concentração, mas não entendem o *motivo* dos resultados aos quais chegaram. Ficam olhando admirados para as maravilhas que conseguiram realizar e, sem saber explicar esses fenômenos de maneira minimamente racional, acabam atribuindo os seus resultados a agentes milagrosos ou sobrenaturais.

Em todos os tempos e em todos os lugares, a humanidade reverenciou uma força inteligente capaz de infringir ou curar doenças no corpo humano e capaz de conceder ou remover a paz e a plenitude. O caráter dessa força intangível e invisível varia a cada raça e a cada período da história, mas sempre nos deparamos com o fato extraordinário de que todas as pessoas da Terra, civilizadas ou não, usaram e ainda usam os mesmos métodos para recorrer a essa força invisível.

O vidente caldeu olhava no fundo de uma pedra brilhante até entrar em transe e enxergar os propósitos do Todo-Poderoso, assim como o sacerdote egípcio, o mago persa, o faquir hindu e todos os que conseguem atingir um estado hipnótico de fixação do olhar. Os membros de uma estranha seita cristã do século 4, conhecidos como tascodrugitas, obtinham os mesmos resultados durante suas orações olhando fixamente para o indicador, que restava apoiado no rosto e apontando para o nariz. Os monges da igreja grega no convento do monte Athos buscavam se libertar das distrações de um mundo barulhento e entravam em comunhão com o Espírito Santo ao olharem fixamente para seus próprios umbigos. Um adorador fetichista fixava seu olhar fascinado em uma vareta ou em uma pedra que acreditavam ser a fonte de todo o poder e a benevolência. Os anamitas olhavam maravilhados e confiantes para as duas varetas incandescentes presas atrás da orelha esquerda de um mago, que girava sobre os calcanhares a passos lentos e imponentes.

Feitiços e cerimônias de idolatria, "mistérios" ocultos e práticas religiosas, encantamentos de bruxas e sacrifícios sacerdotais, ruídos horrendos e a maquiagem diabólica dos curandeiros e bruxos não são nada mais do que modos e maneiras criados por homens para frustrar os esforços dos espíritos malignos e conciliar o bem.

E *todos* têm dois elementos em comum. Primeiro, servem para *atrair o interesse dos fiéis*. Segundo, após atrair sua atenção, *direcionam o interesse deles* à crença na realização de um desejo; eles a direcionam como um refletor luminoso na direção da consumação tão desejada.

Todos são apenas ferramentas para atrair aquela concentração mental que definimos como a atenção total da consciência à *crença* em uma ideia.

"A concentração é a atenção total da consciência à crença em uma ideia."

O padre das pessoas piedosas, o *yoga* dos hindus, o "silêncio" dos discípulos do "Novo Pensamento", a meditação do filósofo, *todos* encontram seus elementos de eficácia nesse princípio básico. Do contar sistemático de contas dos cristãos ortodoxos até a alma "desencarnada" dos adeptos do hinduísmo, são *todos* manifestações e graus de concentração mental.

Pense no ocultismo hindu que hoje está tão na moda. *"Yoga"*, em tradução literal, significa "concentração". É usada simbolicamente pela mística hindu para simbolizar a concentração ou união com um ser supremo. De acordo com o quarto capítulo do *Bhagavad Gita*, vários "adeptos", para se livrarem totalmente das distrações das sensações corporais, chegam a "sacrificar o sentido da audição e outros sentidos no fogo do controle mental". Outros, "ao se abster de comer, sacrificam a vida em suas próprias vidas".

A princípio, não há diferença entre essas práticas e os autoflagelos dos antigos monges, os jejuns de quarenta dias dos mestres eremitas e o asceticismo de Simeão Estilita, que passou parte de sua vida no deserto, morando no topo de uma coluna de pedra. *Todos* esses procedimentos devem ser encarados como *ferramentas* destinadas a facilitar a concentração mental.

Agora pense na vantagem que você tem em relação a outros mestres da arte da concentração. Você aprendeu a mais pura verdade sobre as operações e processos mentais. Você sofreu muita dor durante o aprendizado. Mas agora que chegou a hora de aplicar esses princípios, visando atingir resultados específicos, você não precisa sair tateando na escuridão do ocultismo e do mistério.

Você sabe quais são os elementos com os quais tem que lidar.

Você os conhece como realidades, como verdades comprováveis da ciência moderna.

E quando vier a fazer uso dessas ferramentas, você não irá questionar a sua eficácia. Não terá dúvidas quanto ao seu sucesso. Você ficará inspirado pela *fé que nasce do conhecimento*, em oposição à fé criada artificialmente por fórmulas místicas e autoridades sacerdotais.

A fé que *sabe* foi a fé do Filho de Deus. Jesus conhecia o poder do espírito humano. Ele *sabia* como curar os enfermos, como alimentar as multidões com um único pedaço de pão, como garantir a paz "que vai além do entendimento". Esse foi o segredo da sua força perfeita.

E ainda assim, até Jesus precisava de determinadas condições para "demonstrar" seus poderes. Nem Jesus foi capaz de operar milagres entre as pessoas de Nazaré por causa da descrença das pessoas. E foi Jesus que, quando curou um doente, proclamou essas palavras de profunda pertinência científica: "A tua fé te curou".

Fé, crença na realização de um fim desejado, é essencial para o sucesso, seja ele buscado cientificamente ou de qualquer outra forma, porque, como você pode ver, é ela que coloca as forças em movimento.

Mas o método científico tem quatro vantagens exclusivas. Primeiro, a fé que ele exige é uma fé que todos podem desenvolver, porque é a fé que a razão irá criar, e não destruir; segundo, é uma fé perfeita, porque é baseada no discernimento; terceiro, é uma fé que dura, porque a verdade é imutável; quarto, é uma fé que você pode desenvolver científica e deliberadamente, porque agora você sabe que a fé em determinada ideia não é nada mais do que a predominância daquela ideia na consciência.

Então você não pode conseguir nada sem fé – fé nos ideais em que a sua atenção se concentra.

E é na fé e nos ideais, e na sua consagração e concentração, que se encontra a maneira de desenvolver autocontrole, de se desprender de humores e emoções inúteis, de dominar as suas energias, de se tornar *eficiente* no melhor sentido e em mais elevado grau.[2]

Agora vocês conhecem a versão do Dr. Hilton sobre a concentração. Eu considero suas explicações práticas e completamente alinhadas às minhas próprias descobertas.

Como escolher o trabalho da sua vida

A orientação vocacional ainda não se tornou uma ciência aceita universalmente, mas isso não impede que uma pessoa use o bom senso para escolher a sua vocação. O problema é que muitas pessoas agem com base em "impressões". Se você estiver trabalhando em algo em que não está se saindo bem, faça uma análise de si mesmo e tente localizar o problema. Provavelmente você conseguirá. Use o bom senso para escolher o trabalho da sua vida. Talvez você não consiga se analisar da mesma forma como faria uma pessoa que tem muitos anos de experiência nisso; no entanto, se tiver dúvidas, procure alguém com experiência em analisar pessoas. Ele certamente irá enxergar seus pontos fracos mais rápido do que você enxergaria. Dificilmente conseguimos ser os melhores críticos de nós mesmos, porque tendemos a ignorar as nossas fraquezas ou dar pouca importância a elas.

Ao selecionar uma vocação, há poucas regras estritas a seguir que possam ser aplicadas a todos os casos. Provavelmente estas são as que chegam mais perto de serem aplicáveis a todos os casos possíveis: Certifique-se de que ama a vocação que escolheu; certifique-se de que você é apaixonado por ela e que pretende permanecer nela; certifique-se de que você está preparado, academicamente, para o trabalho que escolheu; certifique-se de que, com essa vocação, você prestará um serviço benéfico para a humanidade; certifique-se de que o trabalho é permanente; certifique-se de que esse trabalho não irá prejudicar a sua saúde.

Como conseguir o que você quer

Chegamos ao último e provavelmente mais importante assunto de todos, ou seja, "Como conseguir o que você quer". Ao falar sobre esse assunto,

O que aprendi analisando dez mil pessoas

tentarei mostrar como aplicar os princípios tratados até aqui. Selecionar a vocação certa não significa nada se você não souber desenvolvê-la pelo uso adequado dos princípios aqui definidos e explicados. Estou me prolongando nesse assunto porque a pesquisa que conduzi em meu trabalho enquanto analista pessoal me mostrou como uma pessoa comum infelizmente não tem nenhuma noção sobre os princípios que mencionei. Sem um entendimento razoável desses princípios, o que escrevi até aqui seria praticamente inútil.

O problema que mais aflige a humanidade hoje é a pergunta "Como posso conseguir o que quero?".

Nos escritórios, no transporte público, nos lares, nas cidades e nos campos, nos Estados Unidos e em todo o mundo, sempre que homens e mulheres se reúnem, a conversa leva a esse grande tema. Provavelmente a coisa mais vitalmente importante que descobri na minha pesquisa como analista é esta lei da natureza sobre a qual escreverei e que, se aplicada, fará *você conseguir tudo o que quiser*.

Obviamente há outras formas de conseguir o que se quer, mas fica claro, para qualquer pessoa equilibrada e racional, que há apenas uma maneira correta, e meu propósito é apontar qual é ela, em palavras simples e à minha maneira.

E quem sou eu para me julgar uma autoridade em um assunto tão importante?

Digo que eu sou um dos muitos milhares de homens que descobriram esse princípio sobre o qual estou escrevendo, tendo primeiramente tentado seu oposto na prova da vida e descoberto, assim, seu verdadeiro desejo. Sou um entre milhares que desvelaram esse segredo a partir de um fantástico esforço humano que chamamos de "experiência", que foi, em grande parte e por muitos anos, mal conduzida, em desarmonia com o propósito da vida.

Estou apenas contando que milhares de pessoas aprenderam da forma mais custosa, com mágoas e decepções. Conto isso esperando que o seu caminho na busca daquilo que você deseja possa ser um pouco mais tranquilo e agradável, por conta daquilo que escrevo com toda a modéstia.

Estou certo de que o princípio – não, deixe-me chamá-lo de *lei* da natureza – que irei lhe apresentar é cientificamente correto e que oferece o único caminho desejável para aquilo que você quer.

O motivo pelo qual tenho tanta certeza disso é o fato de que, por mais de quinze anos, fiz todo o possível para negar esse princípio e alcançar meu objetivo desejado sem aplicá-lo.

Então é por isso que decidi apresentar meu ponto de vista. Ao apresentá-lo, não o faço pelo dinheiro ou com o objetivo de diverti-los. Eu o apresento para que vocês o usem pelo único motivo que só me sinto feliz e vitorioso na proporção e à medida que ajudo outras pessoas a se sentirem felizes e vitoriosas.

Ao chamar a sua atenção para essa lei simples, deixe-me primeiro esclarecer que não reivindico sua descoberta original.

Essa lei está disponível para qualquer um e, mais do que isso, está disponível para todos nós desde o início dos tempos. Explico isso para que você não me acuse, silenciosamente, pelo ato imperdoável de revestir de ocultismo uma maravilhosa lei da natureza ou de tentar explicar esse princípio como se fosse algo criado pelo homem.

A eletricidade deu ao mundo um problema para enfrentar por anos. Ela foi e ainda é uma força, uma energia sobre a qual sabemos relativamente muito pouco. Em certo momento na evolução do mundo, tremíamos de medo dos raios nas nuvens e acreditávamos que eram um tipo de prova da ira de Deus contra a humanidade ignorante.

Mas Franklin não era nem um cético, nem um fanático. Como tinha a mente aberta e era um pensador e estudioso da natureza, ergueu uma pipa com uma chave atada a ela e assim conseguiu se comunicar com aquela energia que a maioria das pessoas da sua época não entendia e da qual tinham medo.

E depois veio Edison, e ao descobrir algumas das leis da natureza e se adaptar a elas, dominou a eletricidade e trouxe luz às nossas casas, ligou nossas máquinas e impulsionou nossos trens. Edison não inventou a eletricidade – ele apenas descobriu como fazer uso de uma lei que ninguém antes dele tinha conseguido usar, tendo se adaptado a ela.

E é explorando essa lei da natureza que você poderá conseguir tudo o que quiser.

Ao explicar essa lei, irei mostrar a você como aplicá-la para conseguir o que quer, mas há uma coisa que não posso lhe dizer: *o que querer.*

Em relação a esse princípio incrível, permita-me citar o trecho a seguir, de um dos maiores líderes mundiais, um homem que provavelmente descobriu esse princípio da mesma forma que eu – por meio de uma longa pesquisa no laboratório da vida:

> *Há uma matéria pensante da qual todas as coisas são feitas e que, em seu estado original, permeia, penetra e preenche todos os vazios do universo. Um pensamento, feito dessa matéria, produz a coisa que é imaginada pelo próprio pensamento. O homem consegue formar coisas em seus pensamentos e, ao imprimir seu pensamento a partir de uma substância amorfa, consegue realizar as coisas que acredita estarem prestes a serem criadas. Para isso, ele deve formar uma imagem mental clara das coisas que ele quer e fazer, com fé e propósito, tudo que pode ser feito a cada dia, fazendo cada coisa individualmente de maneira eficiente.*[3]

"Aquilo que um homem pensa em seu coração, ele é."*

---

*   Provérbios 23.7. (N. P.)

Essas últimas palavras citadas manifestam o princípio sobre qual escrevo. Ou, conforme outra citação conhecida, nas palavras do maior psicólogo do mundo:

"Tudo o que o homem semear, isso também ceifará."*

Se você ainda duvida de que algo deve ser primeiro criado na mente antes de ser criado em qualquer outro lugar, eu imploro para que abandone esse pensamento antes que você seja dominado e fique preso definitivamente em um turbilhão de ceticismo, dúvida e ausência de fé nas simples leis da natureza que já capturou muitos indivíduos que não conseguem obter aquilo que querem.

Digo aqueles que "não conseguem *obter o que querem*", mas, pensando bem, realmente duvido que seja possível não conseguir aquilo que *realmente queremos*.

Aqui há uma linha tênue a ser desenhada e considerada: há uma grande diferença entre simplesmente *desejar* algo e *querer* aquilo do fundo do coração, com tanta intensidade a ponto de se convencer de que você *irá conseguir*, não importa quanto esforço seja necessário, e *então partir para a ação para conquistá-lo*!

**"Seus pensamentos mais intensos
vão se tornar sua realidade."**

Aqui há um ponto perigoso – o lugar onde a pessoa comum perde o fio da meada e deixa de entender essa lei incrível. A verdade é que, seja consciente, seja inconscientemente, *seus pensamentos mais intensos vão se tornar sua realidade*. Isso é algo que você deveria lembrar.

---

* Apóstolo Paulo aos Gálatas 6.7. (N. P.)

Considero esse ponto tão importante que sinto ser minha obrigação desviar do assunto por um momento para explicar que você está lendo as palavras que saíram da ponta do lápis de um empresário equilibrado, e não de um fanático religioso – um homem que já provou da riqueza e da pobreza, que já passou por tantas experiências quanto você.

Explico isso porque quinze dos meus vinte anos de experiência nos negócios foram fracassados, não porque eu não detinha as informações que estou transmitindo para você, mas porque achava que todas as tentativas de explicar esse princípio partiam de mentes irrealistas, distorcidas e pouco equilibradas.

Agora eu entendo. E meu arrependimento é ter perdido quinze anos – provavelmente um quinto de toda a minha existência na Terra – antes de descobrir o meu erro.

Digo sem julgamentos que você será obrigado a aceitar essa simples lei antes de conseguir conquistar qualquer posição desejável na vida; portanto, acredito que posso ajudá-lo a sair do emaranhado de pensamentos confusos que podem estar mantendo-o afastado das coisas desejáveis da vida.

Essa mensagem, portanto, parte de um homem de negócios que "se encontrou" e que não apenas sabe que se encontrou, mas também sabe exatamente "como" o fez e deseja mostrar o caminho a você.

Agora, antes de continuarmos no assunto, vamos pronunciar novamente esse princípio ou lei da natureza em palavras simples e concretas que não podem ser mal entendidas:

Tudo o que criamos de forma física deve antes ser criado no pensamento. Pensamentos em que focamos nossas mentes vão, com o tempo, se materializar. Evoluímos para nos assemelhar aos pensamentos nos quais mais nos detemos.

Esse é o princípio, dito da forma mais simples que posso. Agora vamos aplicá-lo e ver como ele funcionou em pelo menos um caso concreto e verdadeiro, quando usado de maneira consciente (estamos sempre usando esse princípio, mas quase sempre inconscientemente e de maneira a frustrar nossos próprios propósitos).

O valor que esse princípio terá para você dependerá muito de sua capacidade de aprender a usá-lo conscientemente, de maneira organizada, ou inconscientemente, sem entendê-lo.

Lembre-se, a única coisa que os raios faziam antes de serem dominados era assustar as pessoas e, de vez em quando, matar uma ou outra.

Acontece a mesma coisa com os princípios sobre os quais escrevo – eles podem agir como um bumerangue que irá destruí-lo, a menos que você os domine e os aplique *conscientemente* e de maneira organizada.

O exemplo concreto que usarei é o seguinte (uso esse porque sei que é autêntico):

Por quase vinte anos um amigo muito próximo queria acumular dinheiro, um desejo que acredito que você já tenha sentido algumas vezes.

Digo que ele "queria" o dinheiro, mas na verdade acho que simplesmente "desejava" aquilo, porque não se esforçava para pensar o que teria que dar em troca ou como iria proceder para conseguir aquele dinheiro. Ele estava tentando colher dinheiro sem plantar nenhum tipo de serviço para a humanidade; portanto, não estava em harmonia com a lei da natureza – "Tudo o que o homem semear, isso também ceifará".

Perto do fim do décimo oitavo ano, ele começou a entender esse princípio, e, durante os últimos dois anos, não apenas conseguiu criar parte do dinheiro que queria, mas também fez a maior de todas as descobertas – ou seja, *como ser feliz*! Ele queria aquele dinheiro para ser feliz e para fazer outras pessoas felizes, mas esses pensamentos estavam centrados no *efeito* e, portanto, ignoravam a *causa* que poderia criar aquele *efeito*.

Durante os primeiros dezoito anos, ele se dedicou a pensar e a criar meios que o fariam ter aquilo que outros já haviam criado, e em vez de obter sucesso, seus pensamentos continuavam voltando como um bumerangue, minando seu propósito.

Por quê? Porque ele concentrava a mente em derrotar os outros e, com isso, só criava *derrota* para si mesmo.

"Aquilo que um homem pensa em seu coração, ele é."

Ele pensava em derrota e era *derrotado*. Usou a autossugestão de maneira inapropriada porque não conseguia entendê-la.

A autossugestão é uma ferramenta maravilhosa que você pode usar tanto consciente quanto inconscientemente para conseguir o que deseja, mas desde já aviso que é um poder que trará a sua ruína se você fizer mau uso dela.

Eu disse que iria contar como conseguir o que você quer, mas a responsabilidade de decidir o que quer cabe inteiramente a você. Faça o seguinte: quando tiver tomado a sua decisão, *trace um esboço claro da coisa que decidiu fazer ou da pessoa que decidiu ser, escreva uma descrição a respeito e a memorize.*

Após memorizá-la, você deve usar o poder da autossugestão e afirmar para você mesmo e para os outros, se assim decidir, que irá criar ou conquistar aquilo que decidiu. Faça essa afirmação pelo menos doze vezes por dia, preferencialmente declamando-a com palavras fortes, dirigidas, se necessário, a uma pessoa imaginária.

Mas deixe-me alertá-lo novamente que você deve ter muito cuidado para não cometer o erro de escolher criar ou conquistar algo que não desejará mais após conquistá-lo. Esse princípio não faz distinções. *Ele traz aquilo que você pede!*

Por muitos anos desejei me tornar um escritor de sucesso. E escrever sobre o quê? Ah, qualquer assunto – não fazia diferença, contanto que eu pudesse ver o meu nome impresso como autor.

Foi há pouco tempo que me dei conta de que escrever é apenas uma expressão exterior de sentimentos interiores e que, antes de poder externar qualquer coisa que valha a pena ser lida, deve haver algo "aqui dentro" que valha a pena ser externado.

"Você irá atrair aquilo que criar em seus pensamentos."

Faço uma afirmação sem ressalvas: você pode atrair – ou melhor, você *irá* atrair – as coisas, ou as condições de vida, que criar em seus pensamentos.

Portanto, escolha com sabedoria aquilo em que irá pensar. Dê um passo adiante e organize os seus pensamentos, traçando uma imagem mental clara e definida daquilo que deseja obter ou da pessoa que deseja ser, e então se concentre nessa imagem até transformá-la em uma realidade tangível. Agora você já entende o princípio da concentração; então, não deixe de usá-lo.

Se a sua imagem mental for clara e completa, a realização material dela será, na mesma proporção e na mesma medida, clara e completa também.

Lembre-se, então, que simplesmente desejar algo de vez em quando não é uma ideia clara ou completa. Vá adiante e, com o poder de um desejo *forte*, pinte uma imagem daquilo que você quer, uma imagem tão definida e clara que ninguém – principalmente você – poderá confundi-la.

O princípio se aplica à acumulação de qualquer coisa material no mundo e à criação de qualquer estado mental. Fazendo uso dele, podemos ser felizes ou infelizes, ricos ou pobres, a nosso próprio critério.

Todos os princípios que recomendei aqui foram testados e comprovados cientificamente. Vi que eles trouxeram resultados notáveis para os alunos do Instituto George Washington, às vezes de maneira quase instantânea. Na verdade, os princípios que menciono formam a urdidura e a trama daquilo que chamamos da parte "idealista" do curso de "Propaganda e Vendas" lecionado no Instituto – ou seja, a parte do curso na qual desenvolvemos no aluno uma personalidade atrativa e agradável, sem a qual o domínio da técnica ou da mecânica da propaganda seria praticamente inútil.

O que aprendi analisando dez mil pessoas

Não é segredo, para ninguém que conhece as políticas que regem o Instituto George Washington, que a sua fama mundial se deve inteiramente ao fato de que, desde o início, lá se aplicou o princípio que aqui mencionamos. Não há nenhum mistério nos motivos que levaram o Instituto George Washington, dentro de um curto período de um ano e por meio da aplicação desses princípios, e sem um centavo de capital inicial, a criar um negócio que praticamente deu a volta ao mundo e que já conquistou, em um ano, mais do que qualquer outra escola parecida já conquistou em seus primeiros cinco anos.

Não estou, com isso, me vangloriando do Instituto George Washington – ele não precisa disso –, mas essa é, na verdade, apenas mais uma prova concreta de que esses princípios são comercialmente sólidos.

Alguns anos atrás, tentei em vão fazer com que uma das maiores escolas de ensino por correspondência de Chicago lecionasse ao menos um desses princípios fundamentais, mas seus donos negaram minha oferta dizendo que eles eram "idealistas demais para nós". Mas essa instituição obviamente acreditou que uma parte dos meus planos não era tão "idealista demais", já que roubou a minha ideia por inteiro.

Menciono esse incidente não por motivos de vingança, mas apenas com o objetivo de demonstrar que a aplicação incorreta de um princípio correto não vai dar certo, nem provará que o princípio é impraticável ou incorreto, e também para demonstrar que o sucesso não pode ser obtido se apenas uma parte desses princípios for aplicada.

Não, não sinto nenhum tipo de raiva pelos donos da escola por terem tentado roubar meus planos. Se eu fizesse isso, seria o equivalente a permitir que esses homens insensatos *me rebaixassem para o nível deles*, e nesse caso, eu estaria violando diretamente um dos princípios mais importantes que mencionei.

Se alguém roubar uma ideia sua, deixe-o sozinho com ela, porque logo esse alguém irá se enforcar na própria ideia. Não perca seu tempo odiando essa pessoa, porque você estará prejudicando apenas a si mesmo.

> "Se alguém roubar uma ideia sua, deixe-o sozinho
> com ela, porque logo esse alguém irá se enforcar
> na própria ideia."

Lembre-se de que os seus pensamentos estão construindo a sua "personalidade". O último pensamento que deixo é o seguinte: o grau de "grandeza" ou "pequenez" ao qual chega uma pessoa pode ser determinado com precisão se avaliarmos em que medida tal pessoa consegue *perdoar* e *esquecer* os erros que pesam sobre ela.

Mostre-me alguém que tenha autocontrole suficiente para deixar de engrossar o coro ao ouvir vizinhos fofoqueiros falando mal de outra pessoa que lhe tenha feito alguma injustiça, e então vou lhe mostrar que essa é uma pessoa que deu ao menos o primeiro passo rumo à *grandeza*.

Tolere e *perdoe* – *esqueça para sempre* – se você estiver preocupado com o seu próprio bem-estar e felicidade.

Lembre as palavras do maior filósofo do mundo: "Quem dentre vós não tiver pecado, que atire a primeira pedra".[*]

Uma personalidade atraente e cativante é essencial para o sucesso em qualquer empreitada recompensadora. Se os princípios que mencionei estiverem corretos, uma pessoa não pode ser nem atraente nem cativante se cultivar ódio no coração.

---

[*] Jesus, em Evangelho de João 8.7. (N. P.)

Em 11 de novembro de 1918, no Dia do Armistício, que marcou o fim da Primeira Grande Guerra, Napoleon Hill escreveu: "O massacre acabou, e a razão retornará novamente à civilização".

Hill observou nesse dia que estava buscando um de seus próprios princípios do sucesso: a definição de um propósito maior. Hill se sentou diante de sua máquina de escrever e começou a fazer a única coisa que sabia fazer muito bem: escrever. Posteriormente, disse: "Apenas escrevi o que me vinha na cabeça". Hill afirmou que aquele foi o início do momento de virada mais importante da sua vida. Ele disse que, "depois da Guerra, virá um novo ideal – um ideal que será baseado na filosofia da Regra de Ouro; um ideal que nos guiará, para ver não quanto podemos 'fazer por nossos irmãos', mas quanto podemos fazer por eles de forma a aliviar o seu sofrimento e fazê-los mais felizes durante sua existência. Para fazer essa filosofia chegar ao público e aos corações de quem precisava, vou publicar uma revista que se chamará *Hill's Golden Rule* (A Regra de Ouro de Hill)".

Uma semana depois de escrever seu primeiro ensaio, Hill o levou para George Williams, um editor de Chicago que havia conhecido quando trabalhava na Casa Branca com material de propaganda de guerra.

A revista *Hill's Golden Rule* foi o escoadouro daquilo que ele vinha construindo dentro de si desde quando era um jovem rapaz.

Quando sua madrasta o fez trocar seu revólver por uma máquina de escrever, ele ficou muito animado com a ideia de criar artigos para os jornais locais. Contam que, se Hill não tivesse nenhuma notícia que valesse a pena ser contada, ele inventava alguma.

Talvez por ter frequentado a Igreja Batista Primitiva de Three Forks, que seu pai havia ajudado a fundar, ele entendia a habilidade dos oradores de entusiasmar multidões de seguidores. Foi ali que Hill aprendeu como chegaria à fama que sua madrasta havia falado, quando ele tinha apenas treze anos de idade, que ele seria capaz de alcançar. Como resultado dessa influência, os escritos de Hill misturam palavras da Bíblia com lições de Carnegie, Ford e outras histórias de sucesso do seu tempo, coletadas em suas entrevistas.

Para a primeira edição da *Napoleon Hill's Golden Rule Magazine*, ele produziu 48 páginas inteiramente escritas e editadas por ele mesmo. A cópia impressa foi entregue nas bancas de jornais em janeiro de 1919.

Hill não tinha nenhum dinheiro para bancar a publicação da revista, o que tornou seu sucesso ainda mais improvável – e, mesmo assim, ela prosperou. A primeira edição fez tanto sucesso que foi reimpressa três vezes.

Com o sucesso da revista, Hill era cada vez mais procurado para aparições em público. Ele recebia pedidos de grandes grupos e começou a cobrar um cachê de cem dólares por palestra.

Em uma fala em Davenport, Iowa, onde faria uma palestra para dois mil alunos, Hill recusou o seu cachê habitual de cem dólares e, em vez disso, foi recompensado com seis mil dólares em assinaturas.

No mesmo ano, Hill conta que recebeu um convite de George S. Parker, da *Parker Pen Company*, em Janesville, Wisconsin. Segundo ele, ao chegar, Parker o pegou pela mão, o abraçou e disse:

"Eu o chamei para vir aqui para ver com meus próprios olhos se você acredita sinceramente na Regra de Ouro. Agora que vi no fundo da sua alma, só tenho uma coisa a dizer: você nunca conseguirá imaginar, em toda a sua vida, o bem incrível que está fazendo com a sua revista".

Hill admirava outras pessoas que haviam superado adversidades, e um dos seus primeiros estudos foi sobre Samuel Smiles, que em 1859 havia escrito *Autoajuda*, um dos primeiros livros do gênero do desenvolvimento pessoal. A maioria das pessoas sobre as quais Hill escreveu precisou de muitos anos para chegar ao sucesso com suas realizações. Um desses exemplos foi Josiah Wedgwood, que melhorou o processo de produção de porcelana. Ele fundou sua empresa em 1º de maio de 1759, e ela continua operando até hoje. A *Wedgwood China*, como é atualmente chamada, é um sonho de consumo para muitas pessoas em todo o mundo.

Hill passou a vida estudando por que as pessoas triunfam, mas ele também dedicou seu tempo a entender por que as pessoas fracassam. Edward Bok, editor do aclamado *Ladies' Home Journal*, foi outro homem que Hill analisou, por ter superado muitas dificuldades antes de chegar ao sucesso. Bok escreveu a Hill, e essa carta baseou uma das palestras de Hill – "O homem que não teve oportunidades" –, ministrada para seus alunos do Instituto George Washington. A história de Edward Bok é um exemplo de como Hill usava as experiências das outras pessoas para aprender com os erros e superar as dificuldades.

– Don M. Green

O HOMEM QUE NÃO TEVE OPORTUNIDADES

Napoleon Hill

No meu trabalho vocacional, recebo centenas de cartas de pessoas dizendo: "Eu nunca tive uma oportunidade!". Muitas delas reclamam das dificuldades que enfrentaram para progredir, de seus fracassos, impedimentos e obstáculos. Coitadas, elas não sabem como estão bem. Não descobriram que a maioria das aparentes adversidades são, na verdade, bênçãos disfarçadas. Nunca ouvi falar de ninguém que tenha passado por experiências difíceis a quem eu não diga: "Parabéns!".

Há alguns anos, meu irmão mais novo se formou em direito. Ele batalhou e trilhou seu percurso acadêmico sozinho. Trabalhava de dia e estudava à noite. No dia da sua formatura, enviei-lhe um bilhete dizendo:

> *Rapaz, esse é um grande dia para você! É um grande dia porque agora você está pronto para começar a aprender a advogar. Quatro anos na Faculdade de Direito criaram uma bela base sobre a qual você poderá construir uma estrutura jurídica permanente. As coisas não foram fáceis para você nesses quatro anos. Vi com meus próprios*

olhos. Meu desejo mais sincero é que, nos próximos quatro anos, você complete o processo probatório e se torne um advogado de verdade. Acredito realmente que você não ganhará muito dinheiro no começo. Porque se assim for, o dinheiro irá privá-lo daquilo que você mais precisa. Antes de apreciar a responsabilidade que está assumindo, de atuar como um conselheiro jurídico para homens e mulheres em todas as etapas de suas vidas, você precisa sentir um pouco o lado amargo da vida. Então, durante os próximos quatro anos (e Deus permita que não precise de mais tempo do que isso), acredito que você saberá o que é ter fome.

Acredito que você deverá passar pelas experiências necessárias pelas quais a maioria dos grandes homens passou. Rapaz, você precisará desse batismo de fogo antes de estar pronto para servir o mundo por meio da profissão que escolheu. Enquanto outras pessoas estão lhe desejando sucesso com pouco esforço, eu lhe desejo sucesso com muito esforço! Você não receberá nenhum outro bilhete assim, disso tenho certeza. Eu deixo que decida, no entanto, quem conhece melhor aquilo que é necessário para ter sucesso – o seu humilde criado, o escritor, ou aqueles que o estão inundando de congratulações.

Pode parecer um pouco insensível escrever uma carta assim para o próprio irmão – ao menos para aqueles que ainda não aprenderam a valorizar as dificuldades. Mas com aqueles que já passaram pela valiosa experiência de lutar pela existência, não preciso me desculpar pela minha carta ao meu irmão. Eles entenderão.

Eu não tive aquilo que se pode chamar de "vida fácil", mas a minha experiência não foi tão difícil quanto a de outras pessoas. Por esse motivo, não entrarei em detalhes. Em vez de relatar a minha própria história, conto uma que é mais apropriada para exemplificar o que digo. Quando comecei a escrever essa palestra, lembrei-me de alguns homens que conheci e que haviam começado do nada e chegado ao topo por meio das estradas mais pedregosas. Um deles é o Sr. Edward W. Bok, editor de uma das maiores revistas do mundo, a *Ladies' Home Journal*. Eu perguntei ao Sr. Bok sobre a sua história e aqui está, da forma como ele me enviou. E se você não derrubar algumas lágrimas ao final, pode se declarar como alguém privado de sentimentos e emoções.

Por que acredito que a pobreza é a experiência mais rica que um garoto pode ter

Eu ganho a vida tentando editar a *Ladies' Home Journal*. E como essa revista tem sido muito bem recebida pelo público, parte desse sucesso foi logicamente atribuída a mim. Portanto, vários dos meus queridos leitores nutrem uma opinião que eu frequentemente fico tentado a corrigir, tentação à qual agora cedo. Meus correspondentes expressam essa convicção de diversas formas, mas este trecho de uma carta demonstra muito bem o que quero dizer:

É muito fácil para vocês pregarem que devemos economizar sem conhecer a necessidade disso – nos dizer, por exemplo, como é o meu caso, que devemos viver com a renda de oitocentos dólares por ano do meu marido, quando vocês não têm ideia do que é viver com menos de alguns milhares de dólares. Vocês, nascidos em berços de ouro, já pararam para pensar que escrever sobre a teoria é fútil e insensível quando comparado à luta diária que muitos de nós vivemos, dia a dia, ano após ano – uma experiência que vocês não conhecem?

"Uma experiência que vocês não conhecem!"

Mas o que há de verdade nessa declaração?

Se nasci em berço de ouro, não posso dizer. É verdade que nasci em uma família abastada, mas, quando eu tinha seis anos, meu pai perdeu todos os seus bens, e, aos 45 anos, enfrentou a vida em um país estrangeiro, sem nem o básico para viver. Há homens e suas esposas que saberão o que isso significa – um homem tentando "se reerguer" aos 45 anos de idade, em um país estrangeiro.

Eu tinha a dificuldade de não saber uma palavra em inglês. Fui estudar em uma escola pública e aprendi o que pude. E era tão pouco! Os garotos eram cruéis, como costumam ser. As professoras eram impacientes, como as professoras cansadas costumam ser.

Meu pai não conseguia encontrar seu lugar no mundo. Minha mãe, que sempre teve empregados ao seu dispor, enfrentava os problemas de cuidar de uma casa, coisa que ela nunca tinha aprendido a fazer.

E não tínhamos dinheiro.

Então, depois da escola, meu irmão e eu íamos para casa, mas não para brincar. As horas depois da escola eram o momento de ajudar uma mãe que ficava cada vez mais frágil por conta do fardo pesado que não conseguia carregar. Não foram dias, mas anos, durante os quais dois garotos saíam da cama quente ainda de madrugada para peneirar as cinzas frias que haviam queimado na lareira no dia anterior, querendo encontrar um ou dois nacos de carvão não queimado, e, com aquilo que encontravam, faziam o fogo para aquecer o ambiente. Depois, arrumávamos a mesa para um café da manhã modesto, íamos à escola e, logo após os estudos, lavávamos a louça, varríamos e esfregávamos o chão. Como vivíamos em um cortiço que abrigava três famílias, a cada três semanas tínhamos que esfregar todos os três lances de escada, do terceiro até o primeiro, além das estradas e calçadas do lado de fora. O trabalho com as escadas era o mais difícil, pois o fazíamos aos sábados, enquanto todos os garotos do bairro nos olhavam atravessado. Enquanto trabalhávamos, ouvíamos o eco das bolas e dos bastões no terreno vizinho.

À noite, quando os outros garotos podiam se sentar à luz do lampião ou fazer lição de casa, nós dois saíamos com uma cesta para procurar madeira e carvão nos terrenos vizinhos, ou então vasculhávamos a montanha de carvão deixada à tarde por algum dos vizinhos, em busca de alguns poucos pedaços, torcendo para que o homem que carregava o carvão não fosse cuidadoso o bastante e deixasse alguns pedaços inteiros perdidos.

Uma experiência que vocês não conhecem!
Não conheço?

Aos dez anos, consegui meu primeiro emprego: lavar as janelas de uma padaria por cinquenta centavos por semana. Uma ou duas semanas depois, fui autorizado a vender pães e bolos de trás do balcão após a escola, por um dólar por semana – eu entregava aqueles bolos recém-assados e pães com aquele cheiro delicioso, sem ter colocado nem uma migalha na boca durante todo o dia.

E aos domingos de manhã, eu fazia a rota para um jornal semanal e vendia o estoque restante nas ruas. Eu recebia de sessenta a setenta centavos por um dia inteiro de trabalho.

Eu vivia no Brooklyn, em Nova York, e o principal meio de transporte para Coney Island naquele tempo era a carroça. Perto de onde morávamos, as carroças paravam para dar água aos cavalos, os homens desciam para tomar água, mas as mulheres não tinham como matar a sede. Ao ver essa demanda, consegui um balde, enchia com o líquido, acrescentava um pouco de gelo e, com um copo, passava as tardes de sábado e todo o domingo junto aos carros, vendendo minha mercadoria ao preço de um centavo por copo. Quando veio a concorrência, o que aconteceu muito rápido quando outros garotos viram que eu ganhava dois ou três dólares a cada domingo, comecei a espremer um ou dois limões no meu balde, e a minha bebida se tornou "limonada", e o meu preço subiu para dois centavos por copo. Cada domingo me rendia, então, cinco dólares.

Depois, trabalhava como repórter à noite, como auxiliar de escritório durante o dia, e estudava estenografia de madrugada.

Minha correspondente diz que ela sustenta a família com marido e um filho com oitocentos dólares por ano e afirma que eu não sei o que isso significa. Eu sustentei uma família de três pessoas com US$ 6,25 por semana – menos da metade da sua renda anual. Quando meu irmão e eu conseguíamos juntos trazer oitocentos dólares por ano, nos sentíamos ricos!

Eu escrevo sobre isso pela primeira vez para que vocês saibam, de primeira mão, que o editor da *Ladies' Home Journal* não é um teórico quando escreve ou traz artigos que tentam recomendar que você economize ou que refletem uma luta diária para viver com uma renda pequena ou inexistente. Não há um único passo, nem um centímetro da estrada da pobreza que eu não tenha percorrido. E por ter passado por todos os pensamentos, todos os sentimentos e todas as dificuldades enfrentadas pelos que percorrem essa estrada, digo hoje que me alegro por todos os garotos que estão passando pela mesma experiência.

Não estou nem ignorando nem esquecendo nenhuma das dores e das maiores dificuldades que essa luta significa. Hoje eu não trocaria meus anos de dificuldades severas que um garoto pode enfrentar por qualquer outra experiência que pudesse ter me acontecido. Eu sei o que significa ganhar alguns poucos centavos de dólar. Aprendi o valor do dinheiro da forma mais dura. Eu não poderia ter recebido um treinamento melhor para o trabalho da minha vida. Entendo perfeitamente o que significa passar um dia inteiro sem um centavo no bolso, sem um pedaço de pão sobre a mesa, nem um naco de madeira para acender o fogo – sem nada para comer e com a fome de um leão, e uma mãe frágil e sem coragem.

Uma experiência que vocês não conhecem!
Não conheço?

E ainda assim me alegro pela experiência e digo novamente que tenho inveja de todos os garotos que se encontram nessa condição e que estão passando por isso. Mas – e este é o motivo central para a minha forte crença na pobreza como uma bênção disfarçada – acredito na pobreza como uma condição a ser sentida, enfrentada e da qual se deve sair, e não sob a qual se deve viver. "Isso tudo é muito bonito", alguém poderia dizer. "É muito fácil falar, mas como sair dessa situação?" Ninguém tem uma resposta definitiva para isso. Ninguém me contou. Duas pessoas diferentes nunca encontrarão a mesma saída. Cada um deve encontrar sua própria maneira. Isso depende de cada garoto. Eu estava determinado a sair da pobreza porque minha mãe não havia nascido nessas condições, não podia suportá-las e não pertencia àquele lugar. Isso me deu o primeiro objetivo fundamental: um propósito.

Então reforcei o propósito com esforço e disposição para o trabalho e para trabalhar em qualquer coisa que aparecesse à minha frente, não importava o que fosse, contanto que significasse "uma saída". Eu não escolhia; eu pegava o que aparecia, e fazia da melhor maneira que sabia fazer. E quando eu não gostava daquilo que estava fazendo, ainda assim eu fazia bem, mas pensava que faria aquilo apenas pelo tempo que fosse necessário. Usei todos os degraus da escada como um degrau que me levaria ao próximo. Foi à custa de muito esforço, mas com o esforço e o trabalho vieram a experiência; a consolidação, o desenvolvimento, a capacidade de entender e ter empatia; a maior herança que qualquer garoto pode receber. E nada no mundo pode causar marcas tão profundas em um garoto como a pobreza.

É por isso que acredito tão firmemente na pobreza, a maior bênção, dentre todas as experiências mais plenas e profundas, que pode acontecer a um garoto, Mas, como sempre digo: sempre como uma condição da qual se deve sair, nunca ficar.

Você leu a história de um homem "sem oportunidades". E você tem inveja do cargo desse homem, não tem? Eu tenho! Edward Bok acertou em cheio. Ele se beneficiou das adversidades. Elas eram realmente bênçãos disfarçadas. Adoro ler a história das lutas precoces do Sr. Bok, tanto que a li até saber repeti-la de cor, porque ela renova a minha coragem e minha determinação. Ela ajuda minhas pernas cansadas a encontrar forças quando estou quase caindo pelo caminho. Ela me faz desembainhar minha espada e lutar contra quaisquer aparentes adversidades como se fossem demônios do inferno. Ela espanta o desânimo e ilumina o caminho a percorrer. Ela me faz amar o mundo ainda mais, me torna um cidadão melhor. Acredito que a breve história do Sr. Bok poderá atingir o coração de milhares de leitores.

> **"As adversidades me fazem amar o mundo ainda mais, me tornam um cidadão melhor."**

Conheço a história de outro homem que pode interessar a você: Reddy Johnson. Ele também é um executivo de sucesso hoje em dia e, assim como o Sr. Bok, começou de baixo. Há muitos anos ele era assistente em uma oficina, ganhando US$ 1,60 por dia. Hoje é dono de sua própria empresa e de muitos outros negócios. Quero que vocês conheçam a história de *como ele vendia seus serviços*. Nessa história de autor desconhecido, vocês verão o cerne da minha filosofia sobre o assunto. Então, cá está:

> Muito se fala sobre o sucesso na vida hoje em dia; algumas dessas histórias são muito boas, e acredito que façam muito bem. Mas muitos de vocês precisam de alguns ajustes. Pessoalmente, acredito que essas histórias não cheguem à raiz da questão, da forma como a minha primeira lição me ensinou. Vocês falam sobre a escassez de homens bons, contam sobre como são obrigados a tentar segurar supervisores que sabem mais do que os homens que estão supervisionando, como superintendentes são escassos e como bons vendedores valem seu peso em ouro e todo esse tipo de coisa. Acredito que elas possam estimular pessoas que já estão no caminho certo para que continuem se aprimorando um pouco, mas, de qualquer forma, não chegam à raiz da questão. Não é isso que plantará uma safra de jovens que estarão prontos para assumir os lugares dos caras de cabelo branco – ou sem cabelo, como eu.
>
> Bem, eu não me preocupo com isso, tenho uma bela safra de jovens em treinamento na minha empresa, mandei alguns

embora, quer dizer, os emprestei e os pegarei de volta assim que tiverem amadurecido um pouco. Você não conseguirá transformar qualquer homem em um vendedor ou supervisor, mas conseguirá treinar alguns desses garotos muito bem se iniciar da maneira correta, assim como eu fiz.

"Conte qual é a receita, tio", disse um garoto ruivo inquieto. "Preciso aumentar meu salário e estou buscando meios."

Um tempo atrás – quero dizer, há muito tempo –, eu era um garoto ruivo que trabalhava em uma oficina, e digamos que eu era muito pretensioso. Eu tinha uns 18 anos e queria o cargo de supervisão mais do que qualquer outra coisa no mundo. Vocês riem de minha ambição de querer ser supervisor antes do tempo, mas se a verdade fosse dita, esse seria mais ou menos o ideal de todos os garotos dessa idade. Eles não confessam – eu não confessava –, mas essa é a verdade, e é uma ambição boa e legítima.

Tínhamos um vendedor externo chamado Van, que vendia quase tudo que havia na loja. Sabíamos que ele tinha passado pela experiência na loja e estava ganhando três mil por mês, da forma como gostava. Sempre que chegava de suas viagens, ele parava na oficina, dava charutos aos supervisores e cumprimentava todos os homens e garotos que ali trabalhavam. Então caminhava junto com o velho enquanto discutiam sobre trabalho e falavam dos detalhes sobre os seus pedidos, e tudo que ele dizia era acatado pelo velho. Você poderia até pensar que ele era o dono do lugar, e o velho era um supervisor. Bem, eu via Van como um príncipe. Quando cansava de me imaginar como supervisor, às vezes me pegava imaginando o que eu faria se ganhasse tanto quanto Van – três mil dólares por ano! E eu ganhava US$ 1,60 por dia. Três mil dólares era uma riqueza incalculável para mim.

O homem que não teve oportunidades

Certa manhã acordei me sentindo com medo, infeliz com o mundo e comigo mesmo; alguns dos caras estavam contando umas piadas velhas naquela manhã, e aquilo me irritava. Naturalmente, isso não ajudava em nada. Van chegou por trás de mim e soprou uma nuvem de fumaça, me fazendo tossir. Fechei o punho, mas quando vi que era Van, relaxei e ri; ninguém conseguia ficar bravo com ele.

"E aí, Reddy", ele disse, "quando você vai virar coordenador?" Então ele se sentou e me fitou. Por fim, disse: "Você pode ser supervisor, seja daqui ou de outro lugar, assim que tiver adquirido experiência em chefiar homens. Todos querem supervisores, superintendentes e vendedores, e tudo que você precisa fazer é começar e praticar, assim como você faz no torno e na plaina".

"E como eu posso praticar? Eu sou só um novato aqui; todo mundo me fala o que fazer, e eu só obedeço. Eles que mandam em mim; e a maioria deles tem feito isso muito bem. Como é que eu vou mandar em alguém?"

"Bom, Reddy, há um homem em quem você pode treinar. É o Johnson."

"Eu?"

"Não, não você, o Johnson. Todo mundo tem duas personalidades distintas em si. Uma delas é energética, ambiciosa, gosta de fazer as coisas certas e se dar bem. Esse é você. A outra é descuidada, sem rumo, preguiçosa e só gosta de se divertir – esse é o Johnson. Agora, o que você precisa fazer é aprender a mandar no Johnson, e você vai ver que precisa treinar muito para isso. Quando chegar a esse ponto de conseguir comandar o Johnson muito bem – mantê-lo sempre disciplinado e bem-disposto –, então, e só então, você terá a habilidade e a experiência necessárias para comandar mais homens. Agora você tem um homem com quem praticar. Vai encarar? Vamos! Sinto pena do Johnson, porque ele vai ter que aguentar. Eu estarei por aqui por uma semana e vou ajudá-lo no começo. Eu lhe direi o que fazer, e você pode passar isso para o Johnson, assim como o velho dá ordens ao supervisor, que as passa para você. Esse é o ciclo completo de um acordo de trabalho."

Bem, eu era só um garoto, então aquela ideia me tentou. Van vinha e dizia: "Reddy, diga ao Johnson para fazer tal coisa, e fique em cima dele; verifique se ele está fazendo".

Depois de uma semana, comecei a gostar do jogo. Também descobri muitas coisas que nunca havia imaginado. Como Reddy, o supervisor, eu costumava tentar melhorar a mim mesmo enquanto Johnson, o operário – era um grande preguiçoso. Van entrou na brincadeira e ficava em cima de Johnson dia e noite. Eu o mandava dormir e o mandava acordar. Eu conferia seu trabalho e o mandava estudar. Como Reddy, o supervisor, eu pensava em mim mesmo cada vez menos como Johnson, o operário, até minha opinião sobre ele decair ao máximo. Notei que o velho me observava por muito tempo e comecei a temer que Johnson pudesse ser demitido, então Reddy começou a pressionar Johnson mais do que nunca.

O chefe de Johnson

Certa noite, fui a um *show* e, antes de as cortinas se erguerem, ouvi duas pessoas conversando à minha frente. Uma delas tinha ficado fora por um tempo e disse: "Como o Reddy Johnson está se saindo?". "Bem", disse a outra, "agora ele é assistente de supervisor na oficina, encarregado de montagem, e sempre tem de três a dez homens trabalhando para ele."

O homem que não teve oportunidades

Não falaram nada sobre a brincadeira. Eu era supervisor? Quando me tornei supervisor? Há quanto tempo eu era supervisor? Quando a nova ala havia sido criada, seis meses antes, fui colocado para trabalhar com alguns assistentes, e meu salário aumentou. Sim, eu era supervisor havia seis meses, mas estivera tão ocupado sendo o chefe de Johnson que nem reparei. Tive que ouvir isso de pessoas de fora!

Seis meses depois, ofereceram-me o cargo de superintendente de outra fábrica, por quase o dobro do salário, e a empresa me aconselhou a aceitar, dizendo que eu poderia voltar se não desse certo. Aquilo despertou o sentimento de luta em mim, e fiz dar certo. Acho que todo cara ruivo como eu é sensível a insinuações.

Continuei pressionando Johnson até fazê-lo se tornar um vendedor. Agora eu controlo meu próprio trabalho. Minha renda está muito acima dos três mil dólares que Van ganhava por ano e que eu tanto desejava quando comecei. Não recebo salário há vinte anos. No meu trabalho, tenho diversos garotos que começaram a se aprimorar até serem capazes de assumir o cargo de supervisor e alguns outros dispersos por aí, acumulando experiências, que pretendo recontratar quando assim decidir. Esse esquema está funcionando tão bem para eles quanto funcionou para mim. Veja, é algo básico. Oferecer um bom começo para o garoto e lhe dar a ideia de autocontrole desde o início. Essa é a diferença entre o proprietário e o empregado: um pode ser o chefe de si mesmo; o outro não pode. É uma ideia antiga. A Bíblia diz: "Melhor é o homem paciente do que o guerreiro, mais vale controlar o seu espírito do que conquistar uma cidade".* Eu sou um democrata e não conheço bem as escrituras, mas é algo nesse sentido.

---

* Provérbios 16.32, *Nova Versão Internacional*. (N. P.)

"Então, meu amigo, você disse que queria um aumento. Por que não começar a se preparar para o momento em que não precisará mais de um salário – nem mesmo irá aceitar um? Uma coisa lhe digo: antes de receber um aumento, você tem que ser o chefe de Johnson – o tempo todo, noite e dia."

O velho saiu e, por longos dez minutos, ninguém disse nada. Ficaram lá sentados, pensando no que tinham acabado de ouvir.

Então, se você, leitor, ainda não aprendeu a "ser o chefe do Johnson", comece imediatamente. E quando tiver feito um bom trabalho, levante-se, olhe ao redor e irá descobrir que se tornou o supervisor da empresa.

De vez em quando recebo uma carta de alguém honesto, cheio de boas intenções, reclamando que não está se dando bem porque não teve a oportunidade de fazer uma faculdade. Quando recebo uma reclamação como essas, não posso deixar de me lembrar dos casos de quatro jovens que sei que estão bem na vida, mas que não tiveram a vantagem de ter educação universitária. Um desses jovens foi meu secretário pessoal. Ele começou trabalhando para mim quando eu era gerente de publicidade de uma empresa no oeste. Ele começou a carreira com um salário de 75 dólares por mês. Ele tinha acabado de terminar um curso de administração e nem era um bom datilógrafo. Não tinha cursado nem o ensino secundário. Na verdade, não tinha concluído nem o ensino básico. Seis meses depois, ele se tornou meu assistente por US$ 150 por mês, e quando pedi demissão, ele assumiu meu cargo, com um excelente salário.

Nesse último Natal, recebi cartas de três desses garotos. Eles cursavam o técnico de administração junto comigo. Um deles é gerente de publicidade em uma das maiores lojas de departamento de Nova York, com um salário de dez mil dólares por ano; o outro é assistente de um grande executivo da *United States Steel Corporation* e ganha seis mil dólares por ano; o último é secretário de uma das maiores montadoras de automóveis do país, com um salário de oito mil dólares por ano. Todos começamos no mesmo ano, no mesmo curso técnico de administração; todos nós tivemos o mesmo nível de educação anterior, que foi, no máximo, mediano. Todos começamos como datilógrafos e contabilistas.

Nunca vi nenhum desses garotos sofrerem muito por não terem feito uma faculdade. Eles poderiam estar melhores agora se tivessem cursado uma faculdade, ou talvez não estivessem tão bem, porque os bacharéis geralmente não estão dispostos a começar com cargos tão humildes como o de datilógrafo.

Li um excelente artigo sobre a relação da educação com o sucesso, publicado na *The Fra* há alguns meses. Foi escrito pelo Sr. C. A. Munn, editor da *The Scientific American*, e vale a pena ser citado. Então, aqui está:

> Embora o valor da educação superior seja muito apreciado no nosso tempo, poucos se perguntam: "O que a educação realmente traz para as pessoas? Não é verdade que vemos homens com pouca ou nenhuma educação formal vencendo a corrida de outros que tiveram todas as oportunidades que as instituições de ensino oferecem? Mais ainda, não há inúmeros exemplos de homens para quem a sua própria educação foi um obstáculo, que os tornou cegos para oportunidades que outros colegas mais atentos e menos escolarizados reconheceram e aproveitaram? Não vemos homens graduados em busca de sonhos e visões, enquanto seus colegas menos eruditos e mais práticos estão colhendo frutos mais substanciais e tangíveis?" Resumidamente, "a educação, por si própria, leva ao sucesso?".
>
> Se por educação entendemos uma educação ideal, não deveríamos nem pensar antes de responder com um categórico "Sim". No entanto, como a educação real está muito longe do ideal, haverá certamente exemplos em que ela não será capaz de conduzir ao

mais elevado grau de sucesso que poderá ser atingido com certa matéria-prima, em circunstâncias específicas.

"Temos que nos esforçar para ver as coisas a partir da sua perspectiva correta."

Para fazer um juízo correto sobre essa questão, devemos deixar de lado o ponto de vista pessoal, seja centrado em nós mesmos, seja baseado em alguma outra pessoa específica, em quem talvez tenhamos um interesse pessoal. Temos que nos esforçar para ver as coisas a partir da sua perspectiva correta.

Para os educadores, cuja função é moldar a matéria-prima dessa geração e que, por conta da natureza de suas atividades, são levados a enxergar classes de indivíduos coletivamente, esse ponto de vista deve ser bastante conhecido. Não é um sinal óbvio de alguma imperfeição dos métodos ou materiais com os quais eles trabalham, se um ou outro indivíduo sob sua responsabilidade nos últimos anos acumula lucros à custa de seus colegas que não recebem uma remuneração adequada? E ainda assim, contanto que esse educador se mantenha dentro da lei e dos costumes aceitos, ele pode continuar fazendo isso e ser reconhecido por muitos como um "sucesso", pois faz apenas um estudo individual da situação e perde a visão dos interesses da comunidade.

Embora violações flagrantes dos princípios anteriores sejam reconhecidas por todos como criminosas, está longe de ser um entendimento comum que todo "sucesso", que é um sucesso apenas do ponto de vista pessoal, é, na verdade, um fracasso.

Mas alguns poderiam dizer que, a não ser em casos excepcionais, a percepção do mundo em relação ao valor de um homem está muito aproximada da verdade. A resposta a essa indagação parece ser que a percepção do mundo em relação ao valor de um homem está, de fato, muito próxima à verdade, na maioria dos casos, mas aqui estamos preocupados com o caso que representa a regra – parece haver um acordo bastante generalizado que implica que, de maneira geral, a educação superior é uma ajuda rumo ao sucesso; os casos que são de interesse nessa discussão são os casos excepcionais, em que, aparentemente, o resultado da educação foi uma limitação ao indivíduo. Não é essa a explicação de ao menos alguns dos casos de disparidade entre o valor dos serviços prestados e seu preço no mercado? Deve-se lembrar que o preço de mercado depende da opinião das pessoas, que é falível, enquanto o valor absoluto é determinado pela lei natural. Não há homens que acumulam fracassos, devido a falsas perspectivas, e que deveriam ser reconhecidos como grandes sucessos? E talvez o oposto também seja válido: não costumamos apontar precipitadamente os sucessos de um homem por conta de sua acumulação de riquezas, sem contabilizar o custo para a comunidade?

E qual é a nossa conclusão, afinal? A educação, na medida em que se aproxima de seu ideal, é inquestionavelmente um elemento importante para o sucesso absoluto, se pudéssemos ter a ideia correta do que significa sucesso:

> **"O seu sucesso é mensurado
> não pelo que o mundo lhe dá,
> mas por aquilo que você
> dá para o mundo."**[4]

Antes de se encontrar, você pode precisar de muita educação. Você deve ser capaz de traçar imagens mentais do gênio que gostaria de se tornar. E por "educação", não quero dizer o aprendizado que se encontra nos livros. Uma criança consegue memorizar um poema e repeti-lo de cor perfeitamente e, ainda assim, não entender nada do seu significado. Recentemente, conheci um mendigo nas ruas que falava cerca de doze línguas, mas ainda assim não conseguia ganhar a vida. Ele era educado, da forma como geralmente entendemos a educação, mas o seu aprendizado era inútil para ele.

Também conheço homens que não sabem ler ou escrever, mas que ganharam mais de um milhão de dólares nos negócios. Eles também são educados, mas têm um tipo de educação mais prática.

Isso nos coloca diante de uma interessante tarefa de descobrir o que é a educação e como ela pode ser obtida. Sinto-me seguro para dizer que nem uma pessoa entre mil pode dar uma definição correta de *educação*. Nem uma em dez mil poderá lhe dizer como obter educação.

A pessoa comum que quer educação provavelmente pensaria inicialmente em uma faculdade ou universidade com a falsa crença de que essas instituições podem "educar" seus alunos. Mas nada no mundo poderia estar mais longe da verdade. A mais pura verdade é que o que todas as escolas do mundo fazem, exceto uma, é preparar uma base para que se obtenha uma educação, e a única exceção é a *escola da vida*, por meio dos seus livros didáticos de *experiências humanas*. Não se esqueça disso. Não acredite por um só instante que o dinheiro pode comprar educação. Não pode. Educação é algo pelo qual você tem que trabalhar. Além disso, os habituais quatro anos de estudo na faculdade não são suficientes para educar ninguém. Se formos bons alunos, vamos sempre estudar e aprender. É algo que não acaba nunca. A vida é uma escola eterna, e o tipo de aluno que seremos depende do tipo de trabalho que fazemos ao longo dessa fantástica *universidade*.

O homem que não teve oportunidades

Um recente editorial do *Chicago Examiner* trouxe a melhor descrição sobre educação que já vi. É tão boa que a reproduzo aqui. O artigo merece nossa mais séria atenção:

O que é educação?

Educação é uma conquista, e não um dom. Você tem que conquistá-la por conta própria. E a maneira de conquistá-la é com muito trabalho. Você tem que trabalhar para obtê-la e depois tem que continuar trabalhando para mantê-la.

Educação é autoconhecimento. É descobrir quem você é, o que você pode entender e o que pode fazer. A palavra *educação* significa "induzir, despertar, crescer, evoluir". A única maneira de fortalecer um músculo é fazendo-o trabalhar. O mesmo vale para a mente. O cérebro é um órgão, e, para mantê-lo saudável, você precisa exercitá-lo. E a forma de fazer isso é estudando, pensando e trabalhando. Estude qualquer coisa meia hora por dia e você será, em alguns anos, uma pessoa com educação.

Não existe isso de "concluir os estudos"; é uma questão de comparação. E, em certo sentido, o propósito da educação é ensinar aos homens que eles ainda têm muito a aprender.

O homem mais educado é aquele que é mais útil.

Alguns dos homens mais fortes e mais influentes que já viveram foram homens que não tiveram nenhuma "vantagem". Claro, também é verdade dizer que muitas pessoas com nível de educação superior chegaram ao topo, mas, por outro lado, um diploma universitário não é prova de competência. E enquanto houver homens educados fora dos bancos das faculdades chegando ao topo da escada da fama e outros com seus diplomas de bacharéis desaparecendo de vista, a maioria dos homens pensantes está disposta a admitir que a ciência da educação ainda é algo a ser entendido.

Dos universitários que prosperaram, quem pode dizer que o fizeram por conta e por meio da ajuda da universidade, ou então apesar dela? E mesmo assim, muitos homens irão se lamentar – "Se pelo menos eu tivesse a vantagem de um diploma universitário".

Se for esse o caso, eles podem ter perdido toda a individualidade que existia neles.

Tirar um jovem do seu emprego, com seus 18 anos de idade, e afastá-lo do trabalho útil por quatro anos em nome de uma suposta educação será algum dia visto como uma proposta absurda. Iniciada por filósofos, a ideia era de que os jovens deveriam ser lapidados e versados em assuntos "sagrados". Daí vem o estudo das línguas mortas e a ideia fixa de que a educação deveria ser algo exclusivo.

Essa separação do mundo prático por diversos anos, durante os quais nenhum trabalho útil era feito e toda a atenção ficava concentrada em teorias e temas abstratos, geralmente tendia a paralisar as pessoas de tal forma que elas nunca conseguiam voltar para o mundo do trabalho e da utilidade. Elas deixavam de ser produtivas e tinham que ser sustentadas por bolsas e impostos.

Em faculdades menores, existem muitos exemplos de alunos que trabalham durante sua formação universitária. Esses alunos terão muito mais chances na corrida da vida do que aqueles que se distanciam das lições práticas e têm tudo ao alcance das mãos. A responsabilidade por si mesmo é um fator necessário na evolução do homem. Tirar um homem do mundo prático dos 18 aos 22 anos é correr o risco de arruinar sua vida. Possivelmente você tirou muitas oportunidades dele e o transformou numa máquina de memorizar.

O homem que não teve oportunidades

Existem pessoas que vivem falando sobre a "preparação para a vida". A melhor maneira de se preparar para a vida é começando a viver. A escola deveria ser a própria vida. O isolamento do mundo com o intuito de se preparar para o mundo do trabalho é um erro. É como tirar um garoto de uma serralheria para lhe ensinar a soldar. A partir dos 14 anos, os aprendizes precisam sentir que estão fazendo algo útil, não só matando o tempo; e o seu trabalho e educação deveriam se alinhar, andar de mãos dadas.

O homem educado é um homem útil. E não importa quantos diplomas ele tenha, se não puder conseguir seu próprio sustento, ele não é educado, torna-se obsoleto, em uma marcha pedagógica rumo ao fim de sua vida útil.

Há trinta anos estamos testemunhando uma revolução no método pedagógico para a educação infantil. As mudanças foram tão significativas que realmente se configuram como uma revolução. Essa mudança metodológica se deveu principalmente a um homem: Friedrich Fröbel, que foi o inventor e criador do jardim de infância. O jardim de infância foi a inovação mais importante, útil e fantástica do século 19.

Nenhum meio de transporte rápido que leve pessoas de um canto a outro à velocidade de um raio, nenhuma invenção que conecte sujeitos que se encontram a milhares de quilômetros de distância pode se comparar em valor com uma invenção que troca a brutalidade pelo amor, o medo pela confiança, o desespero pela esperança, o artificial pelo natural.

O jardim de infância! Um jardim de crianças, um lugar em que pequenas almas recém-plantadas por Deus brotam e florescem. Você não pode fazer uma planta florescer. Você pode, sim, colocá-la ao sol e fornecer alimento e orvalho, mas é a natureza que faz o resto. Assim é com a educação. Tudo que podemos fazer é respeitar as condições de crescimento da criança, e Deus faz o resto.

"Só somos fortes quando nos aliamos à natureza."

Só somos fortes quando nos aliamos à natureza. Só conseguimos progredir quando nos agarramos às forças do universo. O homem é parte da natureza – assim como são as árvores e os pássaros. Essencialmente, todo animal e todo organismo faz aquilo que é melhor para ele. Fröbel pensou na natureza humana e em todos os seus elementos como algo livre da falsidade e dos erros, como a natureza é em qualquer outro aspecto.

O sistema do jardim de infância é baseado simplesmente na utilização da brincadeira como fator primordial da educação. Fröbel descobriu que a brincadeira estava nos planos de Deus para educar os jovens, então a adotou.

Antes de Fröbel, acreditava-se que brincar era uma grande perda de tempo para as crianças e um pecado entre os adultos. Tudo que fosse prazeroso era errado. Algumas pessoas ainda pensam dessa forma, mas elas estão, cada vez mais, falando sozinhas. Em 1850, ano anterior à morte de Fröbel, ele disse: "O mundo precisará de quatrocentos anos para reconhecer que minhas teorias são verdadeiras".

Apenas 75 anos se passaram e já vemos o jardim de infância dominar todo o universo da pedagogia. Como uma única gota de corante em um barril de água, a sua influência é sentida em todos os lugares.

Vamos torcer para que chegue um dia em que as oportunidades de educação serão como a paisagem: acessível para todos que tenham a capacidade de absorvê-la. Não haverá uma classe superior de pessoas "educadas" – todo homem deve se sentir superior por poder falar e ter acesso a algo que, por infortúnio do nascimento e do azar, é vedado a outras pessoas. Enquanto houver homens nas prisões, estamos todos acorrentados.

Mas o mundo está evoluindo; visite uma escola pública – qualquer escola – e compare-a com a escola de 25 anos atrás. Há beleza, limpeza, ordem, ar fresco, luz e uma atenção gentil. Não espere encontrar perfeição – ainda há muito a melhorar.

A maior e melhor parte da vida é conseguir aquilo de que precisamos, e a educação, que significa desenvolvimento, vem quando fazemos algo sem recursos e falamos sobre coisas que não temos, muito mais do que quando se usam ferramentas e instrumentos que os ricos recebem de mão beijada. Se tudo é feito por nós, não há muito mais que possamos fazer por conta própria.

Saber se sustentar é tão necessário quanto conjugar um verbo em grego. O motivo pelo qual o ensino técnico nunca evolui é porque ainda não evoluímos o suficiente enquanto humanidade para conseguir dominar teoria e prática ao mesmo tempo. Temos pessoas boas o suficiente para assumir cargos de presidentes de escolas – milhares deles –, mas não temos pessoas que consigam direcionar a energia dos jovens a canais úteis ao mesmo tempo em que alimentam suas mentes em expansão. É aqui que chegamos ao nosso limite. Há espaço para pessoas que consigam criar currículos escolares que abarquem tanto questões práticas sobre como ganhar a vida quanto o crescimento mental, e fazê-las andar lado a lado.

Às pessoas que conseguem conjugar vida e educação, estão reservadas as glórias. O maior erro da universidade é o fato de ter separado o mundo da cultura do mundo do trabalho. Eles disseminaram a falácia de que um grupo de pessoas deveria fazer todo o trabalho pesado, enquanto outro grupo deveria receber educação – e um deles deve ser decorativo, e o outro, útil.

A educação deveria estar ao alcance de todos, não apenas de alguns poucos sortudos.

São as qualidades que preparam uma pessoa para uma vida útil, não o seu conhecimento de fatos. A escola que melhor ajuda a formar caráter não é aquela que transmite mais informações, mas aquela que o futuro demandará. Existe alguma faculdade ou universidade no mundo que se concentre nessas qualidades? Em muitas de nossas faculdades, o cigarro é opcional, mas um estrangeiro, ao ver a devoção que é dedicada ao tabaco, certamente pensaria que a prática de fumar é obrigatória. O jovem que não adquire o hábito de fumar na faculdade é visto como excêntrico. O mesmo é verdadeiro, embora em menor grau, para o consumo de bebidas alcoólicas. Muitos dos professores ensinam, pelo exemplo, os jovens a fumar. Em todas as grandes faculdades, os esportes coletivos são opcionais. Em vez disso, há o atletismo, e os que mais precisam dos esportes têm vergonha de ser vistos nesses locais.

Não quero deixar a impressão de que não vejo utilidade na "educação superior" da qual os universitários tanto se orgulham. Uma educação universitária é boa para os jovens que pretendem seguir uma de suas profissões, contanto que – e este é um ponto muito perigoso para discutir, em vez de criar inimizades – esse jovem não saia da faculdade se sentindo superior aos menos afortunados que não tiveram uma educação universitária, e contanto também que não perca a sua individualidade durante o seu percurso universitário. Precisei de muitos anos de experiências difíceis para conseguir acreditar que o fato de eu não ter uma formação universitária não me desqualificava e não me impedia de ser um concorrente para aqueles que tiveram essa oportunidade. Por muitos anos, trabalhei com a convicção de que não tinha nenhuma chance de chegar tão alto ou mesmo de conseguir servir ao mundo de qualquer forma útil por não ter tido uma formação universitária.

Reveses, pancadas e pobreza

A melhor educação que qualquer pessoa pode ter é a que vem junto com os reveses, pancadas e uma boa quantidade de pobreza. Que formação universitária poderia se comparar às experiências na vida que nos tornam mais conscientes com relação a nossos semelhantes? Não estou dizendo que uma formação universitária acaba com a empatia das pessoas, mas o que digo é que a pobreza e experiências amargas são fontes que seguramente ajudam a desenvolver empatia.

Meu filho mais velho está completando cinco anos. Quando aprendeu a falar o suficiente para se fazer entender, ele me mandou pegar o carro e levá-lo ao teatro. Naquele dia, percebi que teria um enorme dever adiante – o dever de ensinar para aquele garotinho que essa geração está tomando um rumo perigoso, a uma velocidade arriscada, por conta da grande riqueza dessa nação, riqueza que é relativamente fácil de garantir. Independentemente da minha condição financeira nos próximos dez anos, devo ensinar ao meu garoto que, antes de termos o direito de gastar, temos que ganhar. Confesso que essa tarefa me aterroriza.

Minha tendência é tornar as coisas mais fáceis para os meus garotos. Mas a minha razão e a minha experiência me dizem que a melhor forma de "tornar as coisas mais fáceis" é "dificultar" a vida deles. Meus dois meninos "torcem o nariz" para as moedas de um centavo. Às vezes uma de cinco centavos é suficiente, mas geralmente eles não querem nada menos do que 25 centavos. Adotei a estratégia de pagar salários regulares para eles. Para o mais velho, dou 25 centavos por semana, e para o mais novo, dou dez centavos por semana. Em troca desse salário, eles devem trazer o jornal pela porta dos fundos e ajudar a mãe em pequenas tarefas até que ela autorize a folha de pagamentos no sábado à noite, antes de receberem o dinheiro. Qualquer desobediência poderá acarretar uma multa de cinco centavos. Algumas desobediências mais sérias podem lhes custar o salário de toda a semana.

Esses são pequenos detalhes de uma rotina familiar, mas, à medida que meus filhos crescerem, continuarei criando as bases para uma educação que lhes permitirá *ganhar a própria vida e ser útil para o mundo*. Isso seria impossível se eu não lhes ensinasse o valor do trabalho bom e íntegro.

Não desejo ser pobre. Ninguém que tenha passado por essa experiência gostaria de passar por ela novamente. Aqueles que entre nós continuam trabalhando sob esse cruel chicote querem sair de suas amarras o mais rápido possível. Mas quero que meus filhos conheçam o valor da pobreza, assim como eu conheço. *Quero que eles tenham essa base necessária para uma boa educação.* Assim, não importa se fizerem uma faculdade ou não; se aprenderem devidamente a lição sobre pobreza, serão capazes de competir com os mais sortudos que tiveram uma formação universitária.

A maioria das pessoas do mundo não teve uma formação universitária. A minha intenção com a mensagem sobre o *homem que não teve oportunidades* é dar esperança e incentivo a essa grande classe de pessoas de valor. Se você é uma delas, tenha certeza de que uma boa reserva de autoestima, acompanhada de esperança e alegria, é mais do que equivalente a um diploma universitário. Sem essas qualidades humanas imprescindíveis, nenhum diploma universitário no mundo valerá mais do que o papel em que foi impresso.

Se eu fosse chamado para saudar um homem que considero bem-sucedido, eu saudaria o *homem que não teve oportunidades*, pois ele será responsável por carregar em seus ombros o destino do mundo. Ele já carrega os pesos do mundo, tanto comercial quanto socialmente. Ele está administrando nossas estradas, nossos bancos, nossas magníficas corporações industriais. Mais que isso, ele está conduzindo os negócios das maiores nações do mundo. Tiro o chapéu para o *homem que não teve oportunidades*. Todos devemos honras e homenagens para ele. E ainda assim, ele é o mais simples entre nós, o menos interessante, mas também é o mais solidário e gentil. Ele se alegra com nossos sucessos e sofre com nossos problemas.

Não tenha pena dele – tenha inveja dele! Se você fizer parte desse grupo, então aproveite a maior herança que pode ser deixada a qualquer ser humano.

O homem que não teve oportunidades

Em 1922 Napoleon Hill foi convidado para dar a aula magna na Faculdade de Salem, em Salem, Virgínia Ocidental. A instituição havia sido fundada em 1888 e tinha cursos de enfermagem, pedagogia e artes. Intitulada "O fim do arco-íris", a aula magna foi a palestra mais influente que Hill já havia dado.

Quando Hill fez a palestra em 1922, ele tinha 39 anos de idade e muitos anos de experiência escrevendo e palestrando, mas ainda estava longe de publicar seu primeiro livro. Ele estava concentrado com devoção em sua atividade de palestrante e discursava em qualquer lugar em que tivesse um público. À medida que Hill foi ficando mais famoso, principalmente depois de se tornar um autor com livros publicados, suas palestras eram muito requisitadas. Nos arquivos da Fundação Napoleon Hill, existem registros de 89 palestras que ele deu pelo país – todas ao longo de um ano.

A palestra de 1922 que Hill deu na Faculdade de Salem foi a inspiração para uma carta que ele receberia anos mais tarde de um congressista, Jennings Randolph. Hill mencionaria essa carta (disponível para leitura no apêndice) na introdução do seu livro publicado em 1937, *Quem pensa enriquece*, e publicaria a carta motivacional de Randolph. O congressista havia sido eleito para o congresso em 1932, mesmo ano em que Franklin D. Roosevelt foi eleito presidente dos Estados Unidos.

Randolph apresentou Hill a Roosevelt, e Hill se tornou um assessor voluntário do presidente durante a Grande Depressão. Existem correspondências por escrito enviadas pela Casa Branca nos arquivos da Fundação Napoleon Hill.

Randolph mais tarde se tornaria senador dos Estados Unidos e conselheiro da Fundação Napoleon Hill. Ele morreu em 1998 e foi o último parlamentar a ter servido no início do governo Franklin D. Roosevelt.

A restauração do jornal em que a palestra foi publicada é resultado do trabalho incansável de Dr. J. B. Hill, neto de Napoleon Hill, que conseguiu a palestra microfilmada, e da esposa de Dr. J. B. Hill, que a redigitou. Segue-se a referida palestra.

– Don M. Green

O FIM
DO ARCO-ÍRIS
Aula magna de 1922 na Faculdade de Salem

Napoleon Hill

Há uma lenda, tão antiga quanto a humanidade, que nos conta que existe um pote de ouro no fim do arco-íris. Esse conto de fadas, que prende a atenção das mentes criativas das crianças, pode ter algo a ver com a tendência atual da humanidade de procurar um jeito fácil de encontrar riqueza. Por quase vinte anos, procurei o fim do arco-íris que me traria aquele pote de ouro. A minha luta pelo distante fim do arco-íris era incansável. Ela me levou às montanhas do fracasso e pelas colinas do desespero, seduzindo-me incessantemente com a ideia fantasmagórica do pote de ouro.

Certa noite, eu estava sentado diante de uma lareira com algumas pessoas mais velhas e conversávamos sobre a inquietude que afetava parte dos homens trabalhadores.

O movimento sindical havia acabado de começar a se fazer notar naquela parte do país em que eu então vivia, e as táticas usadas pelos sindicatos me impressionavam muito, por serem revolucionárias e perturbadoras e assim conseguirem sucessos permanentes. Um dos homens que estavam sentados ao meu lado fez um comentário que se mostrou um dos melhores conselhos que eu viria a seguir. Ele se inclinou e segurou firme em meus ombros, olhou fundo nos meus olhos e disse: "Você é um garoto esperto e, se for estudar, deixará a sua marca nesse mundo".[5]

O primeiro resultado concreto dessa observação me incentivou a realizar a matrícula em uma escola técnica de administração da região, passo que, devo admitir, acabou sendo um dos mais úteis que já dei, porque foi nesse curso técnico que tive a primeira breve ideia do que poderíamos chamar de *senso justo de proporções*.[6] Após concluir o curso técnico, consegui um cargo de estenógrafo e auxiliar contábil e trabalhei nessa função por muitos anos.[7]

Como resultado dessa ideia de *fazer mais do que a minha obrigação*, que eu havia aprendido no curso de administração, cresci rápido e sempre consegui assumir cargos de responsabilidade que estavam muito além dos meus anos de experiência, com salários proporcionais.

Economizei dinheiro e, em pouco tempo, eu tinha milhares de dólares na minha conta bancária. Eu estava me aproximando cada vez mais rápido do fim do arco-íris.

Minha reputação se espalhou rapidamente, e recebi propostas muito interessantes pelos meus serviços. Minha demanda estava alta não pelo que eu sabia, que era muito pouco, mas porque eu estava *disposto a fazer o melhor uso do pouco que sabia*. Esse espírito de disposição mostrou ser o princípio estratégico mais poderoso que eu aprenderia.[8]

Os ventos do destino me levaram para o sul e tornei-me gerente de vendas de um grande grupo industrial madeireiro. Eu não sabia nada sobre madeira ou gestão de vendas, mas havia aprendido que era uma boa ideia *fazer mais do que a minha obrigação*, e com esse princípio dominando a minha alma, enfrentei o trabalho determinado a descobrir todo o possível sobre comércio de madeira.

Tive excelentes resultados. Recebi dois aumentos de salário naquele ano, e o saldo da minha conta bancária só aumentava. Eu me saí tão bem administrando as vendas de madeira do meu chefe que ele criou uma nova empresa madeireira e me colocou como seu sócio.

Eu podia ver que estava cada vez mais perto do fim do arco-íris. Dinheiro e sucesso abundavam à minha frente, de todas as direções, o que me fez concentrar minha atenção com firmeza no pote de ouro, que eu podia ver claramente logo ali à frente. Até aquele momento, não me havia ocorrido que o sucesso poderia significar qualquer coisa, menos ouro!

A mão invisível

A "mão invisível" permitiu que eu me vangloriasse, sob influência da minha vaidade, até começar a me dar conta da minha própria importância. Hoje mais sóbrio e com uma interpretação mais precisa dos fatos humanos, me pergunto se a "mão invisível" não permite intencionalmente que nós, tolos humanos, fiquemos nos exibindo diante do nosso espelho de vaidades até parar apenas quando vemos quão ridículo somos.

A qualquer ritmo, eu parecia ter um caminho livre adiante; havia carvão nos silos, água no tanque, e meus pés estavam no acelerador; e eu pisava fundo. O destino me aguardava logo ali na esquina com um porrete de madeira. E eu não vi o desastre até ele estar bem diante dos meus olhos.

Como um relâmpago rasgando um céu azul límpido, um colapso econômico e o pânico me atingiram em cheio. Da noite para o dia, perdi todas as minhas economias. Meu sócio, tomado de pânico, me abandonou antes de perder um centavo sequer, e me deixou com nada além da carcaça de uma empresa cujo único patrimônio era sua boa reputação. Eu poderia ter comprado cem mil dólares em madeira com aquela reputação.

Um advogado desonesto viu a chance de lucrar com aquela reputação e com o que havia sobrado da empresa madeireira. Ele e um grupo de homens compraram a empresa e continuaram a operá-la. Mais tarde eu soube que eles compraram toda a madeira que conseguiram, revenderam e embolsaram os lucros sem nunca pagar pela mercadoria. Portanto, eu havia sido o intermediário ingênuo que os ajudaria a dar um golpe em seus credores, que só vieram a saber tarde demais que eu já não tinha nenhuma relação com a empresa.

Foi preciso um colapso econômico e mais um fracasso para que eu mudasse de direção, saísse do setor madeireiro para focar meus esforços no estudo do direito. Nada no mundo além do fracasso, ou o que eu chamava então de fracasso, poderia produzir aquele resultado. Portanto, um momento decisivo na minha vida foi desencadeado por um fracasso. *Ainda que não nos demos conta, há uma grande lição em todo fracasso.*[9]

Quando comecei a faculdade de direito, foi com a firme crença de que sairia dali ainda mais preparado para alcançar o fim do arco-íris e reivindicar meu pote de ouro. Eu ainda não desejava nada além de acumular dinheiro, e, ainda assim, exatamente aquilo que eu mais reverenciava parecia a coisa mais inalcançável do mundo, porque sempre estava me escapando, sempre à vista, mas fora do alcance.

Eu ia para a faculdade de direito à noite e trabalhava durante o dia como vendedor de carros. Minha experiência com vendas no setor madeireiro me garantiu uma boa vantagem. Progredi tão rápido, tirando proveito do *hábito de fazer mais do que minha obrigação*, que logo veio uma oportunidade de abrir uma escola para dar treinamentos para operários que trabalhavam na montagem e reparo de automóveis. Essa escola prosperou e me pagava um salário mensal expressivo. Novamente eu via o fim do arco-íris. E mais uma vez sabia que ao menos tinha encontrado meu nicho do mercado de trabalho e que nada poderia me desviar do caminho ou distrair a minha atenção.

O gerente do meu banco viu o meu progresso e, assim, aumentou o meu crédito, para que eu pudesse crescer. Ele me incentivou a investir em outros negócios. Para mim, ele parecia ser um dos homens mais nobres do mundo. Ele me emprestou milhares de dólares simplesmente mediante minha assinatura, sem nenhum tipo de garantia.

O gerente do banco me emprestou tanto dinheiro até eu me ver desesperadamente endividado e, assim, perder o meu negócio para eles. Tudo aconteceu tão de repente que me deixou atordoado. Eu não imaginava que algo assim era possível. Veja, eu ainda tinha muito a aprender sobre os métodos dos homens, principalmente sobre o tipo de homem que o gerente do banco se mostrou ser – um tipo que, devo dizer, para não ser injusto com o setor bancário, é bastante raro.

"Esse fracasso foi uma das maiores bênçãos que já me foram concedidas."

De um homem de negócios com uma boa renda, dono de meia dúzia de carros e muitas outras tralhas de que eu não precisava, caí na pobreza. O fim do arco-íris desapareceu, e isso aconteceu muitos anos antes de eu aprender que *esse fracasso foi uma das maiores bênçãos que já me foram concedidas*, porque me tirou de um negócio que não me ajudava de forma alguma a desenvolver o meu lado humano e me fez focar meus esforços em um canal que me trouxe a experiência de que eu mais precisava.

Acho que vale dizer aqui que voltei para Washington, D.C., poucos anos depois do ocorrido e, por curiosidade, fui visitar o antigo banco em que, antigamente, eu tinha uma linha de crédito tão generosa, esperando, é claro, encontrá-lo ainda em operação. Para minha surpresa, descobri que o banco tinha fechado, e meu antigo gerente tinha sido relegado à penúria e à pobreza. Encontrei-o na rua, sem um centavo no bolso. Com os olhos vermelhos e inchados, ele despertou em mim uma atitude questionadora e me perguntei, pela primeira vez na vida, se era possível encontrar algo de valor além de dinheiro no fim do arco-íris.

Quem assiste enriquece

Como eu era casado com uma mulher que vinha de uma família influente, consegui uma indicação para trabalhar como assistente de um executivo em uma empresa familiar. Meu salário era muito desproporcional aos salários que a empresa geralmente pagava para os iniciantes, e ainda assim desproporcional ao meu valor; mas influência é influência, e eu estava ali porque tinha que estar.

Mas acontece que o que me faltava de competência jurídica, eu supria com o princípio mais fundamental e sensato que havia aprendido no curso de administração – ou seja, *fazer mais do que a minha obrigação*, sempre que possível.

Eu mantinha meu cargo sem nenhuma dificuldade. Era praticamente um porto seguro, se eu quisesse me ancorar ali. Certo dia, fiz o que meus amigos mais próximos e meus familiares disseram ser uma coisa estúpida: larguei meu emprego repentinamente.

Quando fui pressionado a dizer o motivo, falei o que me parecia mais plausível, mas era difícil convencer meu círculo familiar de que eu havia agido com sabedoria, e ainda mais difícil fazer meus poucos amigos acreditarem que eu não tinha perdido a cabeça. Larguei meu emprego porque achava que o trabalho era muito fácil e que demandava muito pouco esforço, e eu me via à deriva ali.[10]

Essa atitude provou ser um ponto de virada importante na minha vida, embora tenha precedido dez anos de esforço que trouxeram quase todo tipo de sofrimento que o coração de um homem pode sentir. Saí do meu emprego na área jurídica, no qual eu estava indo muito bem, vivendo entre amigos e parentes com aquilo que eles acreditavam ser um futuro brilhante e excepcionalmente promissor, e me mudei para Chicago.

Escolhi Chicago porque acreditava que era o lugar mais competitivo do mundo. Acreditava que, se pudesse ir para Chicago e conquistar reconhecimento por méritos próprios e de maneira legítima, poderia provar a mim mesmo que eu tinha algo que poderia, algum dia, se transformar em uma verdadeira habilidade.

Em Chicago, consegui um cargo de gerente de publicidade.[11] Eu não sabia quase nada sobre publicidade, mas a minha experiência prévia como vendedor me salvou, e meu antigo amigo, *o hábito de fazer mais do que a minha obrigação*, me deu um bom saldo no lado do crédito do balanço.

No primeiro ano, só acumulei êxitos. Eu estava voltando a passos largos. Aos poucos, o arco-íris começou a aparecer à minha frente, e, mais uma vez, vi aquele brilhante pote de ouro quase dentro do meu alcance. Parece-me importante relembrar o fato de que o meu padrão de sucesso sempre era medido em dólares, e o fim do arco-íris me prometia nada além de um pote de ouro. Até esse momento, a ideia de que qualquer coisa além de ouro pudesse ser encontrada no fim do arco-íris era apenas momentânea e desaparecia imediatamente de minha mente. A história está cheia de provas de que, antes da calmaria, vem a tempestade. Eu estava aproveitando a calmaria, mas nunca pensava na tempestade. Suspeito que ninguém prevê uma tempestade antes de ela de fato acontecer, mas ela acontecerá, a menos que os nossos princípios norteadores sejam sólidos.

Desempenhei bem o cargo de gerente de publicidade. O presidente da empresa gostava do meu trabalho e, algum tempo depois, me ajudou a estruturar a *Betsy Ross Candy Company*, da qual me tornei presidente, o que acabou se tornando o próximo ponto de virada mais importante da minha vida e prenúncio de outro fracasso.[12]

O negócio começou a crescer até termos uma rede de lojas espalhadas em várias cidades.[13] Novamente eu via o fim do arco-íris ao alcance das minhas mãos. Sabia que tinha ao menos encontrado um negócio em que queria ficar pelo resto da vida, e confesso que o nosso negócio foi baseado em outra empresa de doces cujo gerente na região oeste era meu amigo pessoal. Seu sucesso retumbante foi o principal fator que me fez querer entrar no ramo dos doces.

Tudo corria bem por um tempo, até que meu sócio e outro homem que havia entrado no negócio mais tarde tiveram uma ideia para assumir minha parte no negócio sem pagar por isso, um erro que os homens só entendem que cometeram quando é tarde demais e quando já pagaram o preço pela sua tolice.

O plano funcionou

O plano funcionou, mas relutei mais do que eles haviam previsto; portanto, para se livrarem de mim de uma vez por todas, acusaram-me, e fui preso sob falsas acusações; assim, ofereceram-me um acordo extrajudicial para que eu entregasse a minha parte na empresa.

Neguei o acordo e insisti em ser julgado. Quando chegou o momento do julgamento, não havia ninguém para me acusar. Insistimos com a acusação e pedimos que o tribunal intimasse a testemunha da acusação e a fizesse acusar, o que foi feito.

O juiz, o meritíssimo Arnold Heap, interrompeu os trâmites e encerrou o caso antes que fosse longe demais, com a afirmação de que "aquele era um dos casos mais flagrantes de tentativa de coerção que já tinha visto".

Para proteger minha reputação, abri um processo de indenização por danos morais no valor de cinquenta mil dólares. O caso foi julgado cinco anos depois e foi parar no Supremo Tribunal de Chicago. Foi uma ação de responsabilidade civil, o que significa que eu estava demandando uma indenização pela injúria causada à minha reputação.

Mas desconfio que outra lei muito mais exigente do que aquela que disciplinava as ações de responsabilidade civil estava em vigor durante aqueles cinco anos, porque uma das partes – quem deu origem ao esquema que me levou à cadeia como parte do plano para tomar as minhas ações no negócio – foi cumprir uma pena na penitenciária federal antes que a minha ação contra ela pudesse ser julgada, e por outro crime que não o que havia cometido contra mim. A outra parte tinha desabado do topo da vida e caído na pobreza e na desgraça.

Meu julgamento está nos arquivos do Supremo Tribunal de Chicago como uma evidência tácita da defesa do meu caráter e de algo muito mais importante do que a própria reivindicação; ou seja, que a "mão invisível" que guia o destino de todos que buscam a verdade honestamente havia eliminado da minha natureza todo o desejo de vingança. Meu julgamento contra meus transdutores não foi retomado, e nunca será.

Eu, ao menos, nunca irei retomá-lo, porque desconfio que aquelas pessoas que destruíram meu caráter em nome de ganhos pessoais já pagaram em forma de sangue, remorso, arrependimento e fracasso.

Essa foi uma das maiores bênçãos que já me aconteceram, porque me ensinou a perdoar. Também me ensinou que a *lei do retorno está sempre agindo* e que "*tudo o que o homem semear, isso também ceifará*".[14] Foi esse acontecimento que apagou da minha natureza o último pensamento persistente de busca de vingança pessoal a qualquer tempo e sob qualquer circunstância. Foi com isso que aprendi que o tempo é o amigo dos que agem bem e inimigo mortal dos injustos, que só se esforçam em destruir. Foi o que me trouxe mais próximo de uma compreensão plena do Senhor, quando ele orou ao Pai pedindo: "Perdoa-os, Pai, porque não sabem o que fazem".

Eu, professor

Chegamos assim a outro negócio que provavelmente me deixou mais perto do fim do arco-íris do que qualquer outro, porque me colocou em uma posição em que precisei aplicar todo o conhecimento que havia adquirido até então, sobre todos os assuntos que me eram familiares, e deu oportunidade de me expressar e de me desenvolver de uma forma que raramente acontece tão cedo na vida das pessoas.

Comecei a me dedicar a ensinar publicidade e estratégias de vendas.[15]

Algum sábio filósofo uma vez disse que quando tentamos ensinar é que mais aprendemos. Minha experiência como professor me mostrou que isso é verdade. Minha escola foi um sucesso desde o princípio. Além da sede da escola, eu tinha uma escola por correspondência que chegava a praticamente todos os países de língua inglesa.

Apesar da devastação da guerra, minha escola crescia a passos largos, e eu via o fim do arco-íris se aproximando cada vez mais. Eu estava tão perto que quase conseguia tocar o pote de ouro com as minhas mãos.

Como resultado das minhas realizações e do meu reconhecimento, atraí a atenção do presidente de uma empresa, que me contratou por um período de três semanas por mês, a um salário de US$ 105.200 por ano – consideravelmente mais do que o presidente dos Estados Unidos ganhava.

Em menos de seis meses, desenvolvi uma das forças de trabalho mais eficientes do país e aumentei o patrimônio da empresa a ponto de ela receber uma oferta de compra por vinte milhões a mais do que o negócio valia quando comecei.

Honestamente, se você estivesse em meu lugar, não se sentiria apto a dizer que encontrou o fim do seu arco-íris? Você não se sentiria apto a dizer que triunfou?

Pensei que me sentiria assim, mas mal sabia que estava prestes a sofrer um dos choques mais duros que já tive, em parte devido à desonestidade do presidente da empresa para a qual eu trabalhava, mas mais diretamente porque acredito em uma causa mais profunda e significante, porque o destino parecia ter decretado que eu deveria aprender algo.

Cem mil dólares do meu salário estavam condicionados à minha permanência no cargo de chefe de gabinete por um período de um ano. Em menos da metade desse tempo, comecei a ver que eu estava delegando o poder e o colocando nas mãos de um homem que estava ficando sedento

O fim do arco-íris

de poder. Comecei a ver que a ruína o aguardava logo ali na esquina. Essa descoberta me causou muito pesar.

Moralmente, eu era responsável por milhares de dólares de capital que eu havia induzido o povo americano a investir nessa empresa. Legalmente, é claro, eu não era responsável de forma alguma.

Acabei levando essa questão à chefia e dei um ultimato ao presidente da corporação para que ele protegesse os fundos da empresa, sob a tutela de um comitê de controle financeiro, ou então aceitasse a minha demissão. Ele riu da sugestão, porque não acreditava que eu poderia violar meu contrato e, assim, perder cem mil dólares. Talvez eu de fato não tivesse feito isso se não fosse pela responsabilidade moral que eu sentia perante milhares de investidores. Pedi demissão, e a empresa passou para as mãos de um liquidatário, de forma que fiz tudo que estava ao meu alcance para protegê-la da má gestão de um jovem louco por dinheiro. Essa foi uma pequena satisfação que me expôs ao ridículo e me custou cem mil dólares.

Por um momento, o fim do arco-íris me parecia incerto e distante. Houve momentos em que me perguntei o que me levou a fazer esse papel de bobo e jogar fora uma fortuna só para proteger pessoas que nunca saberiam que eu havia feito esse sacrifício por elas.

Ao fim, irei tabular a soma total de tudo que aprendi com cada um dos grandes fracassos e marcos da minha vida, mas primeiro permitam-me descrever o último desses fracassos. Para isso, preciso voltar para aquele dia fatídico – 11 de novembro de 1918. Foi o Dia do Armistício, como todos sabem. Como a maioria das pessoas, embriaguei-me de entusiasmo e alegria, como qualquer homem faria com uma boa quantidade de vinho.

Eu estava praticamente quebrado, pois a guerra havia destruído o meu negócio, e eu havia me concentrado em atividades voltadas à guerra; mas me alegrava saber que a carnificina tinha terminado e a razão estava prestes a reinar sobre a terra novamente. A guerra havia acabado com a minha escola, que me renderia mais de quinze mil dólares por ano se os nossos alunos não tivessem sido arrastados para o campo de batalha e se eu não tivesse sentido o dever de me dedicar a ajudar o meu país quando ele mais precisava. Eu me sentia tão longe do fim do arco-íris quanto me senti naquele dia intenso há mais de vinte anos, quando olhei para a boca de uma mina de carvão em que trabalhava e pensei na frase que um gentil senhor me havia dito na noite anterior, e me dei conta de que havia um abismo gigantesco entre mim e qualquer realização além do meu trabalho como mineiro.

Feliz outra vez

Mas eu estava feliz novamente! Aquele pensamento errático entrou na minha consciência e me levou a questionar se eu não estava procurando pelo tipo errado de recompensa no fim do meu arco-íris. Sentei-me à máquina de escrever sem nada especial na cabeça. Para minha surpresa, minhas mãos começaram a tocar uma sinfonia constante naquelas teclas. Eu nunca havia escrito tão bem ou com tanta facilidade antes. Nem pensava no que estava escrevendo – só escrevia e escrevia e continuava escrevendo.

Ao final, eu tinha cinco páginas de um manuscrito que, até onde posso me lembrar, foi escrito sem qualquer pensamento organizado de minha parte. Era um editorial, do qual nasceu minha primeira revista, a *Napoleon Hill's Golden Rule Magazine*. Levei esse editorial para um homem rico e o li para ele. Antes que eu tivesse lido a última linha, ele havia prometido financiar a minha revista. Foi dessa maneira um tanto dramática que um desejo que havia quase vinte anos estava latente em minha mente começou a se manifestar. Era a mesma ideia que eu tinha em mente quando, vinte anos antes, fiz a declaração que levou aquele velho a colocar suas mãos em meus ombros e fazer aquela feliz observação. A ideia central ali era o pensamento de que a Regra de Ouro deveria ser o espírito que guia todas as relações humanas.

O fim do arco-íris

Durante toda a vida, quis ser editor de um jornal. Há mais de vinte anos, quando eu era um garotinho, costumava operar a impressora para o meu pai, que publicava um pequeno jornal, e assim acabei me apaixonando pelo cheiro da tinta da impressora.

O mais importante para se atentar aqui é o fato de que eu havia encontrado o meu próprio nicho no mercado de trabalho e estava muito feliz assim. Curiosamente, comecei nesse trabalho, que representou a minha última volta no longuíssimo percurso que eu havia percorrido em busca do fim do arco-íris, sem pensar por nenhum momento em encontrar um pote de ouro.

A revista foi um sucesso desde o princípio. Em menos de seis meses, estava sendo lida em todos os países de língua inglesa. Assim, fiquei conhecido em todas as partes do mundo, o que resultou em um *tour* de palestras em 1920, que passou por todas as grandes cidades dos Estados Unidos.

Até aquele momento, eu tinha feito tanto amigos quanto inimigos. Mas agora uma coisa estranha acontecia: ao começar a trabalhar no mundo editorial, passei a fazer milhares de amigos, e até hoje tenho centenas de pessoas ao meu redor porque elas acreditam em mim e na minha mensagem.

O que acarretou essa mudança?

Se você conhece a lei da atração, conseguirá responder, pois sabe que os similares se atraem e que as pessoas atraem amigos ou inimigos de acordo com a natureza dos pensamentos que dominam a sua mente. Não podemos assumir uma atitude beligerante diante da vida e esperar fazer amigos. Quando passei a pregar a Regra de Ouro na minha revista, comecei a me empenhar ao máximo em viver de acordo com ela.

Há uma grande diferença entre simplesmente acreditar na Regra de Ouro e de fato colocá-la em prática em todas as atitudes, algo que descobri ser verdade quando iniciei a minha primeira revista. Repentinamente, essa percepção me fez entender um princípio que hoje encontra morada fixa em minha mente e domina todas as ações que realizo, quando humanamente é possível. Esse pensamento não é nada mais do que aquele enunciado pelo Senhor em seu Sermão da Montanha, quando ele nos advertiu: "Tudo aquilo que quereis que os homens vos façam, fazei-o vós a eles".*

Durante os últimos três anos, estive mandando vibrações do pensamento da Regra de Ouro para centenas de milhares de pessoas. Essas ondas de pensamento se multiplicaram e ricochetearam, trazendo-me de volta torrentes de bondade daqueles que foram tocados pela minha mensagem.

Eu estava chegando perto do fim do arco-íris pela sétima e última vez. Toda porta que levava ao fracasso parecia estar fechada. Meus inimigos lentamente se transformaram em amigos, e eu estava fazendo milhares de novos amigos. Mas havia um teste final que eu teria que enfrentar.

Como afirmei, eu estava chegando perto do fim do arco-íris com a firme crença de que nada no mundo poderia me impedir de chegar lá e conseguir meu pote de ouro e tudo mais que um bem-sucedido caçador de arco-íris poderia esperar.

Como um raio cortando um céu límpido, recebi um choque: o impossível havia acontecido. A minha primeira revista, a *Napoleon Hill's Golden Rule Magazine*, não só foi tomada das minhas mãos da noite para o dia, mas também sua influência, que eu havia construído, estava temporariamente se tornando uma arma apontada para a minha cabeça.

Mais uma vez, a humanidade havia falhado comigo, e eu estava tendo pensamentos hostis sobre ela. Foi um golpe feroz quando acordei e percebi que não havia verdade na Regra de Ouro, que eu tanto me esforçava para seguir e que estava pregando para milhares de pessoas nas páginas da minha revista e também pessoalmente.

Esse foi o teste mais decisivo. Será que a minha experiência tinha provado que meu mais estimado princípio era falso e não passava de uma armadilha para laçar os desavisados, ou eu estava prestes a aprender uma grande lição que confirmaria a veracidade e solidez daqueles princípios

---

*   Mateus 7.12.

pelo resto de minha vida e talvez até pela eternidade? Essas eram as perguntas que me atormentavam.

Não as respondi de imediato, eu não conseguia. Fiquei tão perplexo que tive de parar para recuperar o fôlego. Eu pregava que não podíamos roubar ideias, planos, bens e produtos de outras pessoas e ainda assim prosperar. Minha experiência parecia desmentir tudo o que eu havia escrito ou falado a esse respeito, porque os homens que roubaram a menina dos meus olhos não só pareciam estar prosperando com ela, mas também a usavam como um meio de me impedir de realizar meus planos de prestar um serviço para o mundo e para toda a humanidade.

Meses se passaram, e eu não conseguia fazer a roda girar. Eu havia sido destituído, minha revista havia sido tomada de mim e meus amigos pareciam me olhar como se eu fosse uma espécie de Ricardo I da Inglaterra. Alguns diziam que eu voltaria mais forte e maior depois dessa experiência. Outros diziam que eu estava acabado. Os comentários iam e vinham, mas eu continuava parado, olhando com espanto, sentindo-me como se estivesse em um pesadelo do qual não conseguia acordar, nem conseguia mover um dedo sequer.

Eu vivia, literalmente, um pesadelo acordado que parecia me manter aprisionado com todas as forças. Minha coragem havia desaparecido. Minha fé na humanidade não existia mais, e meu amor por ela estava enfraquecendo. A minha opinião sobre os mais elevados ideais, que construí por tantos anos, estava mudando lenta, mas definitivamente. As semanas pareciam demorar uma eternidade para passar. Os dias pareciam durar uma vida inteira.

E certo dia, o clima começou a amenizar. O céu estava limpo após alguns dias cinzentos. O tempo é um excelente remédio! Ele cura quase todos os doentes e ignorantes, e a maioria de nós é, por vezes, doente e ignorante ao mesmo tempo.

> **"O tempo cura quase todos os doentes e ignorantes,
> e a maioria de nós é, por vezes, doente e ignorante
> ao mesmo tempo."**

Durante o sétimo e maior fracasso da minha vida, fiquei mais pobre do que jamais tinha ficado antes. Tive que sair de uma casa bem mobiliada para ir morar, praticamente do dia para a noite, em um apartamento de um quarto. A forma como esse golpe foi desferido, quando eu estava prestes a apanhar meu pote de ouro no fim do arco-íris, abriu uma ferida feia e profunda no meu coração. Durante esse curto período de teste, fui obrigado a me ajoelhar nas cinzas da pobreza e comer as migalhas de todas as minhas tolices do passado. Quando eu estava quase desistindo, as nuvens escuras começaram a se dispersar tão rápido quanto chegaram.

Eu estava diante do teste mais difícil que já havia enfrentado. Talvez nenhum ser humano tenha sido tão rigorosamente testado quanto eu fui – pelo menos era como eu me sentia à época.

O carteiro havia entregado minhas poucas cartas. Enquanto abria as correspondências, estava olhando o sol vermelho desaparecendo no horizonte. Para mim, foi um símbolo do que estava prestes a me acontecer, pois vi meu sol de esperança também se pondo no oeste. Abri o envelope por cima e dali saiu um comprovante de depósito, que como que flutuou e caiu adiante virado para cima. Tratava-se de um depósito de 25 mil dólares. Por um minuto, fiquei com os olhos colados naquele pedaço de papel, perguntando-me se aquilo não era um sonho. Fui até ele a fim de pegá-lo, apanhei-o do chão e li a carta que o acompanhava.

O dinheiro era meu! Eu poderia sacá-lo do banco quando quisesse. Havia apenas duas pequenas condições impostas, mas que me obrigavam a virar as costas para tudo o que eu havia pregado, colocando os interesses do povo acima dos interesses individuais de qualquer pessoa.

O fim do arco-íris

O teste mais extremo havia chegado. Aceitar o dinheiro que significava capital suficiente para publicar a minha revista ou devolvê-lo e esperar um pouco mais? Essas foram as primeiras perguntas que me vieram à mente.

Então ouvi uma voz vinda do meu coração. Dessa vez, ela era muito direta. Senti o sangue arder em meu corpo. Com essa voz, veio a ordem mais direta que já havia se firmado em minha consciência, e essa ordem foi acompanhada de uma mudança química no meu cérebro, como nunca havia me ocorrido antes. Foi uma ordem positiva e surpreendente, trazendo uma mensagem que não poderia ser mal-entendida.

Sem promessa de uma recompensa, ela me fez devolver os 25 mil dólares.

Eu hesitei. A voz continuou falando. Meus pés pareciam colados ao chão. Eu não conseguia me mexer, mas finalmente cheguei a uma decisão. Decidi acatar aquela sugestão, um erro que só um tolo poderia ter cometido.

No instante em que cheguei a essa conclusão, olhei e, no crepúsculo que se aproximava, vi o fim do arco-íris. Eu tinha que pelo menos alcançá-lo. Não vi nenhum pote de ouro, exceto aquele que eu estava prestes a mandar de volta para a fonte de onde havia vindo, mas encontrei algo mais precioso que todo o ouro do mundo ao ouvir a voz que chegava a mim, não pelos meus ouvidos, mas sim pelo meu coração.

E ela disse: "Deus está na sombra de cada fracasso".

O fim do meu arco-íris me trouxe o triunfo dos princípios sobre o ouro. Colocou-me em uma comunhão mais estreita com a magnífica "Força Invisível" deste Universo e deu-me uma determinação renovada para plantar filosoficamente a semente da Regra de Ouro nos corações de milhões de outros viajantes cansados que estão em busca do fim dos seus arco-íris.

**"O fim do meu arco-íris me trouxe
o triunfo dos princípios sobre o ouro."**

Na edição de julho de 1921 da *Napoleon Hill's Magazine*, meu secretário conta um dos eventos mais dramáticos que se seguiram à minha decisão de não aceitar ajuda financeira de fontes que iriam controlar as minhas palavras de todas as maneiras possíveis. Esse foi apenas um caso, mas prova suficiente para convencer qualquer estúpido de que a Regra de Ouro realmente funciona, que a lei da compensação está em curso e que "Tudo o que o homem semear, isso também ceifará".

Além de conseguir sozinho todo o capital necessário para assumir a *Napoleon Hill's Magazine* desde o período inicial, durante o qual suas próprias receitas não eram suficientes para publicá-la, consegui algo ainda mais importante: a revista está crescendo em um ritmo até então inédito no meio dos periódicos do gênero. Os leitores e o público em geral captaram o espírito do trabalho que estamos fazendo e estão colocando a lei dos retornos crescentes em operação a nosso favor.

As lições mais importantes

Agora permita-me resumir as lições mais importantes que aprendi na busca pelo fim do arco-íris. Não tentarei falar de todas as lições, apenas das mais importantes. Deixarei o restante por conta da sua imaginação, sem ficar aqui contando novamente.

Primeiramente e acima de tudo, na busca pelo fim do arco-íris, encontrei Deus em todas as suas manifestações concretas, inteligíveis e reconfortantes, o que já seria significativo o bastante, mesmo se não houvesse encontrado nada mais. Por toda a vida, me sentia um tanto incomodado com a natureza exata daquela "Mão Invisível" que guia todos os acontecimentos do Universo, mas meus sete pontos de virada na trilha do arco-íris da vida me levaram, por fim, a uma conclusão que me basta. Pouco importa se essa conclusão está certa ou errada, o principal é que ela me basta.

As lições importantes que aprendi são as seguintes:

Aprendi que aqueles que consideramos nossos inimigos são, na verdade, nossos amigos. À luz de tudo que aconteceu, eu não voltaria atrás para apagar nenhuma dessas experiências de prova com as pessoas que conheci, porque cada uma delas me forneceu evidências positivas da coerência da Regra de Ouro e da existência da lei da compensação, por meio das quais recebemos recompensas pelas nossas virtudes e pagamos as penas pela nossa ignorância.

Aprendi que o tempo é amigo de todos que baseiam seus pensamentos e ações em verdade e justiça, e é o inimigo mortal de todos que não conseguem agir dessa forma, embora a pena ou recompensa às vezes tardem a chegar aonde devem.

Aprendi que o único pote de ouro pelo qual vale a pena lutar é aquele que vem da satisfação de saber que os nossos esforços estão levando felicidade a outras pessoas.

Vi de perto a derrocada de cada pessoa que foi injusta comigo. Vivi para viver cada uma delas afundadas em um abismo de fracasso muito mais profundo do que qualquer coisa que elas haviam planejado para mim. O gerente do banco que mencionei caiu na pobreza; os homens que roubaram minha parte na *Betsy Ross Candy Company* e tentaram destruir a minha reputação chegaram a um ponto que parece ser de fracasso permanente, sendo que um deles é detento de uma prisão federal.

O homem a quem eu havia tornado rico e influente, mas que defraudou o meu salário em cem mil dólares, foi relegado à pobreza e à necessidade. A cada curva da estrada que finalmente me levou ao fim do arco-íris, vi provas incontestáveis que endossavam a filosofia da Regra de Ouro, que hoje me dedico a disseminar para centenas de milhares de pessoas.

Por fim, aprendi a ouvir a voz do coração, que me guia quando me deparo com encruzilhadas de dúvida e hesitação. Aprendi a tirar proveito de uma fonte até então desconhecida, onde busco minhas intuições quando quero saber para que lado devo virar e o que fazer, e essas intuições nunca me mandaram para o caminho errado. Perto do fim, vejo nas paredes do meu escritório os retratos dos grandes homens que viveram e que tentei imitar. Entre eles está o imortal Lincoln, cujo rosto forte e cansado parece esboçar um sorriso e de cujos lábios só consigo ouvir as palavras mágicas: "Sem maldade e com caridade com todos". E do fundo do meu coração, ouço aquela voz gritando enquanto encerro estas linhas com a mais linda mensagem que já me chegou à consciência: "Deus está na sombra de cada fracasso".

O fim do arco-íris

Quando Napoleon Hill foi convidado para fazer o discurso de formatura em 2 de junho de 1957, na Faculdade de Salem, fazia 35 anos que ele havia ministrado a aula magna para uma turma de formandos na mesma faculdade, em 1922.

No *The Alumni Echoes*, o jornal universitário da Faculdade de Salem, a manchete dizia: "Convocação marcada para hoje". O jornal dizia o seguinte sobre o Dr. Hill:

Napoleon Hill, o filósofo, autor e educador que ensinou mais pessoas a alcançarem sucesso financeiro e espiritual na vida do que qualquer outro em nossos dias, fará o discurso de formatura às 20h no domingo, 2 de junho, no auditório da Faculdade de Salem.

Em sua experiência de vida emocionante, Hill desenvolveu a "ciência do sucesso", um estudo preciso que definiu os princípios que podem ajudar qualquer pessoa a atingir seus objetivos, não importa quais sejam suas ambições.

Além disso, o Sr. Hill foi confidente e assessor de presidentes, industriais e líderes de governo, dentre eles Franklin D. Roosevelt, Woodrow Wilson, Andrew Carnegie e Henry Ford. Na verdade, foi Carnegie que o iniciou na pesquisa que levou Mr. Hill a desenvolver os "dezessete princípios do sucesso".

São, literalmente, milhões de pessoas que atribuem ao Sr. Hill a inspiração que as alçou a fortunas maiores do que jamais puderam imaginar. Mais do que isso, ele lhes forneceu métodos passo a passo práticos para realizarem suas ambições.

"Tudo que a mente humana pode conceber, ela pode conquistar" é o pilar da filosofia do Sr. Hill.

Ele diz: "Você pode ser tudo que você quiser, contanto que você acredite com a convicção necessária – e aja de acordo com a sua fé".

Estima-se que sessenta milhões de pessoas em todo o mundo leram e se beneficiaram do seu livro mais marcante, *Quem pensa enriquece*, desde que foi publicado, em 1937.

Napoleon Hill nasceu no condado de Wise, na Virgínia, em 26 de outubro de 1883, em meio a "contrabando de bebida, alambiques clandestinos, analfabetismo e brigas mortais". Embora tenha nascido pobre, conta-se que ele recebeu o nome incomum de Napoleon em homenagem a um abastado tio-avô paterno.

Visando financiar seus estudos futuros, o Sr. Hill lançou um projeto aos 25 anos de idade. Começou a escrever artigos biográficos sobre pessoas de sucesso para o senador Bob Taylor, do Tennessee, que era editor de um importante jornal da época.

Em 1933, o deputado Jennings Randolph, que reconhece que Hill contribuiu com seu êxito como executivo da *Capital Airlines*, apresentou o Sr. Hill a Franklin D. Roosevelt, e o resultado desse encontro foi que Hill se tornou assessor presidencial. Foi ele quem deu a Roosevelt a ideia para o seu famoso discurso – "*Não temos nada a temer a não ser o medo*" – que ajudou a dar um basta na histeria financeira no auge da Depressão.

O Sr. Hill demonstra interesse e ajuda a Faculdade de Salem há muitos anos, e ministrou a aula magna em 1922.

Ele é o editor da revista *Success Unlimited*. Ele é também autor de muitos livros sobre desenvolvimento pessoal, entre eles o *Quem pensa enriquece*, que já vendeu mais de sessenta milhões de cópias e foi reimpresso em diversas línguas estrangeiras. Um dos seus mais recentes títulos foi *Como aumentar seu próprio salário*.

Hill é casado e tem três filhos adultos. Ele e sua esposa vivem tranquilamente em Glendale, na Califórnia

Muita coisa aconteceu na vida de Hill desde 1922, quando ele discursou aos 25 graduandos, dentre os quais estava Jennings Randolph, que viria a representar a Virgínia Ocidental no Congresso. O Sr. Randolph serviu por muitos anos o Congresso Nacional dos Estados Unidos e se tornou amigo de Hill. Mais tarde, atuou como conselheiro da Fundação Napoleon Hill.

Foi durante o discurso de 1957 que Hill recebeu o título de doutor *honoris causa* em Literatura.

– Don M. Green

OS CINCO FUNDAMENTOS DO SUCESSO

*Discurso de formatura em 1957
na Faculdade de Salem*

Napoleon Hill

A definição clássica de um discurso de formatura é "um sermão de despedida proferido a uma turma de formandos", mas o que tenho a dizer a vocês não representa um sermão e certamente não é uma despedida.

Na verdade, a minha mensagem a vocês é de felicitações, pois é um grande prazer e honra dar-lhes calorosas boas-vindas nesse momento em que vocês deixam o mundo acadêmico para entrar no mundo profissional e dos negócios.

E espero sinceramente que as minhas habilidades oratórias sejam suficientes para tornar a minha mensagem bastante pessoal, de modo que cada um de vocês, jovens, sinta que estou falando diretamente a vocês, porque é dessa mensagem pessoal que acredito que vocês poderão mais se beneficiar a partir daquilo que vou lhes dizer.

Em outras palavras, espero que, ao acabar, vocês não se sintam como a mulher que foi cumprimentar seu pastor após o culto em um domingo e lhe disse: "Foi um sermão incrível! Tudo que foi dito se aplica a alguém que eu conheço!".

Ou ainda poderia citar o caso do clérigo que exemplificou seu argumento em um sermão dizendo algo sobre existirem pessoas que crescem melhor à luz do sol e outras que precisam de sombra para se desenvolver.

O ministro falou aos seus fiéis: "Vocês sabem que precisam plantar rosas à luz do sol. Mas se quiserem fúcsias, elas precisam ser deixadas à sombra".

Mais tarde, o coração do pastor se alegrou quando uma mulher lhe segurou as mãos e disse: "Pastor, sou tão grata pelo seu sermão esplêndido!". Mas seu sentimento de gratidão evanesceu quando ela seguiu: "Acredita que eu nunca soube qual era o problema com as minhas fúcsias?".

"Espero que cada um de vocês aprenda como plantar as sementes certas que lhes trarão uma colheita farta de felicidade material e espiritual."

Receio que nenhum de vocês vá aprender a cultivar fúcsias comigo hoje. Mas, de certa forma, minha mensagem se aplica, sim, à jardinagem, pois espero que, a partir de minhas palavras, cada um de vocês aprenda como plantar as sementes certas que lhes trarão uma colheita farta de felicidade material e espiritual. E se cada um de vocês aprender um pouco que seja sobre como cultivar o jardim da vida – como a senhora com suas fúcsias – já me darei por satisfeito.

Por outro lado, espero que não saiam daqui se sentindo como a garota que foi à igreja pela primeira vez. Quando o pastor lhe perguntou se ela havia gostado do culto, ela respondeu: "Bem, eu achei a música muito boa – mas as propagandas foram muito longas!". Há exatos 35 anos, eu estive nessa mesma tribuna para falar para uma turma de formandos da Faculdade de Salem.

Os cinco fundamentos do sucesso

Isso aconteceu em 1922. A Primeira Grande Guerra havia acabado havia pouco. Naquele grande conflito, os Estados Unidos tinham sido o fator decisivo para a vitória dos Aliados. Nosso país emergia como a maior potência política e econômica do mundo. Consequentemente, não precisei de muitas habilidades proféticas para traçar um belo cenário para a turma de formandos de 1922 da Faculdade de Salem. Consegui, naquele momento, chamar a atenção dos formandos para a abundância de oportunidades de desenvolvimento pessoal neste país. E consegui prever com precisão que nosso país estava entrando em seu maior período de expansão industrial e econômica de sua história. Muitas coisas, felizmente, não consegui prever, entre elas, a Grande Depressão da década de 30.

A outra foi a Segunda Guerra Mundial e a ascensão do comunismo. É como se a divina Providência nos desvelasse um pouco do futuro para que possamos prever o que ele nos trará de bom, mas misericordiosamente nos poupasse de saber sobre o mal que nos aguarda. Foi um grande prazer para mim, durante esses últimos 35 anos, ver muitas das previsões que fiz naquele dia de verão de 1922 se tornando verdade. Devo admitir, no entanto, que nem meus sonhos mais delirantes e otimistas chegaram perto de descrever essa realidade gloriosa. Certamente há na plateia pelo menos alguns dos graduandos da turma de 1922. E tenho certeza de que eles irão me perdoar por não ter previsto os progressos fantásticos que a humanidade faria nos campos da ciência e da cultura. Afinal, quem, em 1922, poderia prever coisas como a energia nuclear, o crescimento tremendo dos setores da aviação e da eletrônica ou a nossa conquista da distância e do tempo? Se eu tivesse ousado prever, em 1922, que o homem poderia voar a duas ou três vezes a velocidade do som, tenho certeza de que membros da faculdade e da turma de formandos teriam rido da minha cara aqui no palco.

(*Olhando para o presidente da faculdade*) Não é verdade?

Há uma grande lição nisso tudo para vocês, jovens. E é muito simples: por mais otimistas e esperançosas que minhas palavras sejam hoje, por mais que eu deixe minha imaginação voar, por mais que eu descreva um futuro brilhante, não seria possível traçar um retrato completo das realizações fascinantes que a humanidade fará nos próximos 35 anos.

Isso me lembra de um taxista em Washington, D.C., que, levando um passageiro, passava pela frente do prédio dos arquivos do governo. No prédio, há uma inscrição que diz:

"O passado é um prólogo."

"O que a frase significa?", o visitante perguntou.

"Bem," disse o taxista, "significa que você ainda não viu nada!"

As coisas que você está destinado a ver durante a sua vida, os gloriosos feitos que você realizará, vão muito além do que se pode descrever.

Muitos anos atrás, propus uma teoria que desde então foi repetida tantas vezes que hoje soa como um lugar-comum. O fato é, no entanto, que a veracidade da minha afirmação se prova a cada dia. Qual foi essa afirmação? Simples assim:

Tudo que a mente humana pode conceber e acreditar, ela pode conquistar!

Na verdade, meus amigos, o seu futuro – as suas conquistas e realizações – será limitado apenas pelas amarras da sua imaginação.

Não há dúvidas de que cada um de vocês irá passar por decepções e fracassos temporários. E não há dúvidas de que as tragédias coletivas, na forma de guerra ou de depressão, irão afligir a sua geração, como afligiram as que vieram antes de vocês.

Mas trago para vocês outra verdade da ciência da realização pessoal, que tive o prazer de formular durante os últimos cinquenta anos: cada adversidade traz consigo a semente de um benefício equivalente. Repito: cada adversidade traz consigo a semente de um benefício equivalente.

Cabe a você

Cabe a você, no entanto, encontrar essa semente, nutri-la, fazê-la crescer plenamente e dar frutos. Ninguém pode fazer isso por você. Cada um de nós, com a ajuda de nosso Criador Todo-Poderoso, cria o seu próprio destino. E do mesmo modo, cada um de nós deve encontrar aqueles benefícios escondidos que o destino nos concede nos momentos de adversidade.

Permitam-me repetir aquelas duas afirmações que acredito que constroem a base sobre a qual vocês poderão, com fé, construir a fundação de uma vida de sucesso. O primeiro é tudo que a mente humana pode conceber e acreditar, ela pode conquistar. O segundo é que cada adversidade traz consigo a semente de um benefício equivalente.

Se vocês dominarem esses dois conceitos, terão dado dois passos gigantes rumo à conquista da sua própria felicidade.

Vocês já pegaram a estrada rumo ao sucesso com todo o esforço, trabalho e perseverança que demonstraram ao longo dos últimos quatro anos. Durante esse período, vocês prepararam, com a magnífica ajuda da Faculdade de Salem, o solo para o jardim da vida, cultivando-o e nutrindo-o de modo a prepará-lo para o plantio.

Não deixem que ninguém minimize o valor da sua formação universitária, pois ela lhes oferece uma vantagem enorme na construção do seu futuro. Apenas com o passar dos anos vocês se darão conta de toda a ajuda que receberam de todos os homens e mulheres dessa maravilhosa equipe acadêmica. E a cada ano, tenho certeza de que encontrarão mais motivos para ser ainda mais gratos a eles.

Agora que estão se formando pela Salem, vocês estão prestes a começar a plantar as verdadeiras sementes que lhes renderão frutos mais adiante na vida. Há apenas um aviso que gostaria de lhes dar a respeito: não esperem demais para começar a plantar. É agora, na primavera da sua vida, o momento certo para decidir exatamente que tipo de colheita vocês querem ter na vida. Quanto mais se demorarem plantando, mais tempo levarão para colher.

E isso, meus amigos, me leva à questão central da minha conversa com vocês aqui hoje.

Perguntaram-me quais eram as características principais ou chaves que conduziam ao sucesso na vida.

Vocês podem estar se perguntando por que sou qualificado para falar sobre sucesso. Espero que, durante toda a vida, vocês mantenham sempre essa atitude questionadora em relação a qualquer um que se afirme uma autoridade.

Bem, Oliver Goldsmith disse uma vez que "é melhor pregar um sermão com a sua vida do que com as suas palavras". Então vou me permitir divagar um pouco sobre o que me qualifica para falar sobre realização pessoal.

Em 1908, quando eu trabalhava como redator para uma revista, entrei em contato com Andrew Carnegie, o grande magnata do aço. Muito já foi dito e escrito sobre Carnegie, muitas coisas depreciativas inclusive. Mas vou lhes contar que, durante a nossa amizade, que já dura muitos anos, nunca conheci ninguém com ideais mais nobres, com coração mais acolhedor e cheio de amor por seus semelhantes.

E sua forma mais direta de demonstrar seu amor foi me sugerindo que eu assumisse a tarefa de formular uma filosofia definitiva sobre a realização do homem. Ele esperava que pessoas como vocês não precisassem enfrentar o doloroso método de tentativa e erro que o levou ao topo.

Por sugestão e com ajuda do Sr. Carnegie, passei vinte anos entrevistando centenas de pessoas bem-sucedidas, em todos os estágios da vida.

Muitas dessas pessoas se tornaram meus amigos, entre eles, pessoas como Thomas Edison, Alexander Graham Bell e Henry Ford.

O resultado dessa pesquisa foi algo que ficou conhecido como "ciência do sucesso", baseada em dezessete princípios que descobri serem os fatores decisivos que levam uma pessoa ao fracasso ou ao sucesso.

Os cinco fundamentos do sucesso

Cinco desses princípios serão apresentados para vocês hoje como os fundamentos do sucesso. Se usados corretamente, podem levá-los até aonde desejarem chegar com o chamado da sua vocação.

Devo lembrá-los, no entanto, que tudo nesse mundo tem seu preço. Como Emerson diria: "Nada pode lhe trazer paz além de você mesmo. Nada pode lhe trazer paz além do triunfo dos princípios".

Parafraseando esse sábio conselho, digamos que nada além de você pode lhe trazer o sucesso.

Nada pode lhe trazer o sucesso além da aplicação dos princípios que têm sido responsáveis por todos os sucessos e que agora conto quais são.

1. Definição de propósito
2. O princípio do MasterMind
3. Andar uma milha a mais
4. Autodisciplina
5. Fé aplicada

Definição de propósito

Todas as realizações bem-sucedidas começam com uma definição de propósito. Ninguém pode esperar prosperar se não souber exatamente o que quer e condicionar a mente para realizar as ações necessárias para chegar lá.

Como é possível condicionar a mente com uma definição de propósito? Basta cultivar uma capacidade profunda e permanente de acreditar.

Poderia citar vários exemplos para provar que a definição de propósito compensa. Mas não consigo pensar em nenhum melhor do que o caso de W. Clement Stone, de Chicago.

Logo após meu livro *Quem pensa enriquece* ser publicado, uma cópia dele foi parar nas mãos do Sr. Stone. Naquela época, ele ganhava um salário modesto como corretor de seguros. Isso aconteceu em 1938.

Após ler o que meu livro dizia sobre a necessidade de escolher um objetivo específico na vida, o Sr. Stone pegou um caderno de anotações do seu bolso e escreveu as seguintes palavras: "Meu objetivo na vida é o seguinte: até 1956, serei presidente da maior empresa de seguros pessoais do mundo".

O Sr. Stone assinou aquele papel e começou a lê-lo para si mesmo diariamente, até deixá-lo gravado em sua consciência. E como ele sabia o que queria, conseguiu reconhecer a oportunidade quando ela lhe bateu à porta. Quando teve a chance de comprar a *Combined Insurance Company of America*, ele conseguiu agir rápido e com determinação para realizar seu objetivo. E com a sua energia, a empresa se tornou aquilo que ele decidiu que ela seria – a maior empresa de seguros pessoais do mundo.

Não posso deixar de dizer que agora o Sr. Stone dedica boa parte do seu tempo e talento a ajudar outras pessoas a realizarem seus objetivos, patrocinando o curso de educação à distância "Ciência do sucesso" e publicando uma revista mensal, a *Success Unlimited*.

O Sr. Stone se tornou bem-sucedido porque sabia o que queria, acreditou que poderia conseguir e manteve firme a crença até ter a oportunidade de que precisava para realizar o seu propósito.

Há algo sobre o poder do pensamento que parece atrair as pessoas à materialização de seus objetivos e propósitos. Esse poder não é algo humano, mas foi feito para ser usado pelas pessoas e para lhes permitir controlar grande parte do seu destino na Terra.

Em essência, chegamos ao mundo com o equivalente a um envelope selado contendo uma longa lista de bênçãos que podemos alcançar se aceitarmos e usarmos o poder de nossas mentes. Mas o envelope também contém uma lista de punições a serem pagas por aqueles que se negarem a reconhecer e a usar esse poder.

Essa bênção é a única coisa sobre a qual temos absoluto controle. Portanto, é a coisa mais preciosa que temos.

Lembre-se simplesmente de que: tudo que você tem, deve usar com sabedoria – ou então irá perder. E isso inclui, obviamente, o seu inexorável direito a estabelecer o seu próprio propósito na vida e a manter a sua mente determinada nesse propósito até alcançá-lo.

Lembre-se também de que você não atinge além do que mira. Portanto, não tenha medo de mirar alto – muito alto.

Isso me lembra de quando o grande evangelista Dwight Moody se uniu a outro pastor para pedir a uma senhora rica uma contribuição para um fundo de obras. Antes de entrar na mansão dela, Moody perguntou ao outro pastor que valor eles deveriam pedir para a mulher.

"Ah," disse o pastor, "uns US$ 250."

"Acho que é melhor você me deixar cuidar disso", Moody respondeu.

Quando encontraram a senhora, Moody disse categoricamente: "Viemos lhe pedir dois mil dólares para as obras da nova missão".

A mulher ficou horrorizada e disse: "Sr. Moody, não posso dar nada mais do que mil dólares".

Moody e o pastor saíram de lá com um cheque naquele valor.

A moral da história é, obviamente, que a vida não dará a vocês, jovens, mais do que vocês pedirem a ela. Vocês podem não conseguir tudo que desejarem. Mas se não escolherem um propósito maior na vida, não esperem alcançar *nada*!

Lembrem também que o seu objetivo não precisa envolver a acumulação de riqueza material.

Homens como Albert Schweitzer, Jonas Salk e Padre Damião (de Veuster) alcançaram seus maiores propósitos e nenhum deles tinha como objetivo ganhar sequer um centavo. Na verdade, não consigo pensar em maneira melhor para vocês conquistarem a felicidade e tranquilidade na vida do que definindo um objetivo específico que sirva aos seus semelhantes.

Por outro lado, quero destacar que não há nenhum conflito entre riqueza e um estado de paz de espírito. A riqueza, quando adquirida com honestidade, é uma grande bênção – e principalmente quando os ricos pensam em si mesmos como um servidor que pode usar seus bens para ajudar os outros.

Ao escolher o seu objetivo, lembre-se de que nada é impossível nesta época em que, como Rodgers e Hammerstein disseram em Cinderela, "Coisas impossíveis acontecem todos os dias".

Como repórter, acompanhei os esforços dos irmãos Wright em Arlington, na Virgínia, para convencer a Marinha de que tinham em mãos uma máquina que podia voar.

Por três dias fiquei sentado em meu carro enquanto Orville e Wilbur Wright tentavam colocar seu avião no ar. Finalmente, o avião subiu por alguns segundos e acabou se espatifando no chão.

Um senhor idoso que estava em pé ali perto disse: "Eles nunca farão essa coisa voar, não é? Se Deus quisesse que os homens voassem, teria lhes dado asas, não acha?".

Naquele momento, o velho senhor parecia estar certo. Mas me pergunto o que ele teria dito se, alguns dias atrás, tivesse tido a oportunidade de se sentar ao meu lado e almoçar calmamente em um avião moderno, voando a mais de quinhentos quilômetros por hora, a quase oito quilômetros de altura do chão.

Como dominar o primeiro dos cinco fundamentos do sucesso?

Decida logo – de preferência nas próximas semanas – qual é seu maior propósito na vida. Escreva-o de maneira clara e detalhada em um bloco de anotações que caiba no seu bolso. Assine-o, memorize-o e repita em voz alta pelo menos três vezes por dia, afirmando a sua crença de que aquilo pode ser alcançado.

No mesmo bloco, escreva uma descrição clara do plano que o ajudará a atingir seu objetivo. Defina o tempo máximo que você pretende levar para atingi-lo. Além disso, descreva detalhadamente por que você acredita que atingirá seu propósito e o que pretende dar em troca. Este último item é importante, tenha-o em mente.

"Mantenha o seu objetivo sempre à sua frente."

Mantenha o seu objetivo sempre à sua frente para que o seu subconsciente possa trabalhar nele por meio da autossugestão.

E acima de tudo, não se esqueça de procurar conselhos por meio das suas orações. Ao longo de sua vida, o seu espírito deve acompanhar o crescimento físico. As orações e o trabalho andam lado a lado para nos proporcionar paz de espírito.

Isso ficou demonstrado quando o líder de um monastério ouviu um monge expressar dúvidas quanto ao lema da ordem: "Reze e trabalhe". Ele convidou o jovem para remar com ele e tomou os remos para si.

Após um tempo, o jovem observou que o seu superior estava usando apenas um remo, e disse: "Se você não usar os dois, ficaremos andando em círculos e não chegaremos a lugar nenhum".

"É isso mesmo, meu filho", o velho respondeu. "Um remo se chama oração, e o outro se chama trabalho. Se você não usar os dois ao mesmo tempo, ficará andando em círculos e não chegará a lugar nenhum."

A influência dos anos na minha vida me fez entender melhor a atitude de orar. Em consequência, hoje sempre encerro minhas orações com as seguintes palavras:

Infinita Inteligência, não peço mais bênçãos, mas apenas mais sabedoria para fazer um uso melhor de todas as bênçãos que me foram concedidas ao nascer – o direito de direcionar e aproveitar os poderes da minha mente para os propósitos de minha escolha.

O MasterMind

Isso nos leva ao segundo dos cinco fundamentos do sucesso, conhecido como o princípio do MasterMind. Ele consiste simplesmente em uma aliança entre duas ou mais pessoas que coordenam esforços em perfeita harmonia com o intuito de atingir um objetivo específico.

Foi Andrew Carnegie que me apresentou esse princípio, quando lhe pedi que descrevesse os meios que usou para acumular sua enorme fortuna. Ele respondeu com franqueza, dizendo que foi com os esforços de outros homens – os homens que faziam parte do seu grupo de MasterMind. Então, nomeou cada um dos membros do grupo e contou as contribuições que cada um deles deu ao seu sucesso.

Carnegie deixou bem claro para mim que, embora *qualquer* indivíduo possa alcançar o sucesso, só chegará ao topo um grupo que estiver trabalhando em perfeita harmonia para que seus talentos, educação e personalidades se completem.

A Declaração da Independência foi criada pela aliança de MasterMind mais profunda que este país já testemunhou. Faziam parte dela 56 grandes homens que assinaram o documento, sabendo que estavam arriscando suas vidas e suas fortunas. Era a harmonia perfeita em seu nível mais elevado – e seus resultados, em grande medida, mudaram o destino de toda a raça humana.

Há três locais que insisto que vocês devem usar para fazer contato com outras pessoas pensando no princípio do MasterMind: sua casa, sua igreja e seu local de trabalho. Façam isso com fé e vocês verão que chegarão longe e garantirão sua prosperidade, tranquilidade e saúde.

Vi incontáveis vezes como a aliança de MasterMind – um grupo trabalhando em harmonia – produz resultados incríveis.

Um homem poderia, por exemplo, realizar sozinho o trabalho que resultou na criação da energia atômica? Nunca! Nenhum de nós consegue realizar feitos assim em uma só vida. Mas se trabalharmos em harmonia com outras pessoas, visando um objetivo em comum, resultados que geralmente levariam séculos para serem alcançados chegam dentro de um período de tempo relativamente curto.

Andar uma milha a mais

O terceiro dos cinco fundamentos do sucesso é o hábito de *andar uma milha a mais*. No Sermão da Montanha, ouvimos: "E, se qualquer te obrigar a caminhar uma milha, vai com ele duas".

O hábito de andar uma milha a mais significa apenas a prática de fazer mais do que a sua obrigação – e com uma atitude positiva e agradável.

Nunca conheci ninguém que obteve sucesso excepcional sem ter adotado o hábito de entregar mais do que o esperado.

E gostaria de contar o caso de um homem que conheci aqui na Faculdade de Salem quando ministrei a aula magna há 35 anos. Ele é bem conhecido de vocês. É claro que estou falando de Jennings Randolph, que, não posso deixar de dizer, é conhecido carinhosamente nas minhas empresas como "Sr. Gentileza".

Após concluir sua formação na Faculdade de Salem, Jennings foi eleito para o Congresso, onde representou o povo da Virgínia Ocidental por quatorze anos. E eu gostaria de contar a vocês apenas uma das maneiras que ele escolheu para seguir o hábito de andar uma milha a mais.

Durante o recesso parlamentar no verão, quando a maioria dos congressistas já havia voltado para suas casas para cuidar de seus negócios pessoais, Jennings continuava em seu gabinete em Washington, mantendo toda a sua equipe, para conseguir prestar um serviço contínuo aos seus eleitores.

Ele não precisava fazer isso, não era sua obrigação, e ele nem recebia a mais por esse tempo – quer dizer, nenhum pagamento que viesse no seu contracheque do governo.

Toda realização bem-sucedida começa com uma definição de propósito. Ninguém pode esperar obter sucesso se não souber exatamente o que quer e as condições mentais para realizar as ações necessárias para chegar lá.

Mas então houve um dia em que o hábito de ir além de seu termo de compromisso começou a recompensá-lo lindamente. Esse hábito chamou a atenção do presidente da *Capital Airlines*, que o nomeou assistente do presidente e diretor de relações públicas da *Capital*.

Trinta e cinco anos atrás, durante a aula magna que dei na Faculdade de Salem, Jennings Randolph me ouviu descrever os benefícios que podemos obter se andarmos uma milha a mais. Ele ficou impressionado com o que ouviu e, mais do que isso, estava pronto para receber aquela mensagem. Foi ali que ele declarou sua intenção de adotar esse princípio e aplicá-lo em todas as suas relações humanas.

Jennings Randolph prosperou e tem uma legião de amigos em todo o país, porque reconheceu que tudo que fazemos pelo ou para os outros estamos fazendo para nós mesmos – que não existe serviço útil sem uma recompensa justa, embora a recompensa não necessariamente venha da fonte para a qual prestamos o serviço.

Emerson disse: "Os homens sofrem ao longo de toda a vida por causa da tola superstição de que podem ser ludibriados. Mas é impossível a um homem ser ludibriado por alguém que não seja ele próprio, assim como é impossível uma coisa ser e não ser ao mesmo tempo. Existe, em todas as nossas transações, um terceiro elemento comanditário. A natureza e alma de todas as coisas incumbe-se da garantia do cumprimento de todos os contratos, de maneira que um trabalho honesto não pode ser desperdiçado. Se você servir a um ingrato, trabalhe com redobrado afinco. Faça de Deus um seu devedor. Todas as atitudes serão recompensadas. Quanto mais tardar a paga, tanto melhor para você, pois a taxa habitual desse erário são os juros dos juros".

Quando Paul Harris se formou em Direito, enfrentou o problema de formar uma clientela. Ele nunca havia ouvido falar sobre o princípio de *andar uma milha a mais* dessa forma, mas colocou-o em prática tão eficazmente que viveu para ver o dia em que o número de clientes potenciais que teve de recusar ultrapassou o daqueles que poderia aceitar.

Seu plano era simples. Convidou um grupo de empresários e homens de negócios com quem se encontraria semanalmente para almoçar, em algo que ele chamou de *Rotary Club*. A proposta original do clube era inspirar seus membros a se apadrinharem entre si e a induzir pessoas de fora a apadrinhar os membros do clube.

O plano funcionou tão bem que o *Rotary* é hoje uma instituição internacional que beneficia a humanidade ao redor de todo o mundo. Não há nada que os impeça, jovens que estão pensando em iniciar uma profissão, de adotar o princípio de Paul Harris e aplicá-lo para aumentar seus círculos de relacionamentos e construir boa vontade para vocês mesmos, assim como aconteceu com ele.

Autodisciplina

O quarto fundamento do sucesso é a autodisciplina, que significa o domínio de si mesmo, tanto sob aspectos mentais quanto do corpo físico. A autodisciplina começa com um desejo ardente de se tornar o mestre de si mesmo. A motivação necessária para manter esse desejo desperto e ativo é o reconhecimento do fato de que, quando dominamos a nós mesmos, podemos dominar muitas outras coisas – inclusive os fracassos, derrotas e problemas que podemos encontrar ao longo do caminho.

Outro motivo estimulante que deveria manter aceso o desejo ardente pelo autodomínio é o reconhecimento do real sentido do dom dado pelo nosso Criador – o nosso direito inalienável de controlar e comandar a nossa própria mente.

Quem assiste enriquece

Milo C. Jones trabalhava em uma pequena fazenda perto de Fort Atkinson, em Wisconsin. O tempo demorava a passar, o trabalho era pesado, e todos os membros da sua família tinham que ajudá-lo a pagar as contas.

E então o desastre aconteceu. Milo sofreu duas paralisias e ficou completamente privado do uso do seu corpo. Seus dias de fazendeiro tinham chegado ao fim.

Sua família o empurrava em uma cadeira de rodas até a varanda todos os dias, onde ele ficava sentado ao sol enquanto os outros membros da família continuavam trabalhando na fazenda.

Em uma manhã, cerca de três semanas após o incidente, ele fez uma descoberta estupenda: descobriu que tinha uma mente.

Como sua mente era a única coisa que lhe restava com a qual poderia exercer algum tipo de disciplina, começou a colocá-la para funcionar. Assim, teve uma ideia que trouxe felicidade e riqueza para si e para sua família.

Chamou a família e disse: "Quero que vocês plantem milho em cada hectare de terra. Comecem a criar porcos com esse milho e, quando eles ainda estiverem jovens e macios, quero que os abatam e os transformem em '*Little Pig Sausage*'".

As "*Little Pig Sausage*" se tornaram uma marca de linguiça conhecida em todos os lares dos Estados Unidos, e a criação de Milo C. Jones fez dele um homem muito rico. Embora tenha aprendido tarde, ele fez a descoberta que acredito que vocês, jovens, farão no início de suas carreiras: que não há limites para o poder da mente, exceto aqueles que nós mesmos nos colocamos, por meio de dúvidas, medos e falta de ambição ou de definição de propósito.

O seu primeiro dever para formar o hábito da autodisciplina é tentar conquistar o domínio total e completo da sua própria mente e direcioná-la aos objetivos definidos que lhe renderão sabedoria, bem como prosperidade material e espiritual.

Então, vocês precisarão de disciplina para controlar o sentimento de raiva, o que pode ser alcançado se aceitarem que ninguém pode deixá-los com raiva sem o seu pleno consentimento e cooperação. Vocês não precisam cooperar com isso.

Vocês precisarão de disciplina para controlar as suas emoções sexuais, aprendendo a arte de transformar essa força criativa profunda em canais que os ajudarão na vocação que escolheram.

Vocês precisarão disciplinar o tom de voz de vocês, de forma que ele seja gentil e, ao mesmo tempo, convincente.

Vocês precisarão de disciplina sobre tudo que colocam para dentro do corpo físico de vocês, na forma de comida, bebida, drogas, álcool e cigarro. Lembrem-se, o corpo é o templo do Senhor, que lhes foi dado com o intuito de proteger suas mentes e almas.

Vocês precisarão de disciplina para escolher sua equipe pessoal.

Vocês precisarão de disciplina sobre seus hábitos de pensamento, e para isso terão que manter a mente sempre ocupada, pensando e planejando as coisas e circunstâncias que desejam e ficando longe daquilo que não desejam.

Vocês precisarão de disciplina para evitar a procrastinação.

Vocês precisarão de disciplina sobre o sentimento do amor. Se vocês amam alguém que não lhes corresponde, contentem-se com o fato de que foram *vocês* que saíram ganhando, porque a expressão do amor elevou a sua alma. Portanto, não desperdicem tempo com amor não correspondido – e esqueçam a ideia de que só podemos amar uma vez.

Vocês precisarão se disciplinar para reconhecer que, não importa o que lhes aconteça, seja bom ou ruim, a causa mais provável mora dentro de vocês – na forma de pensamentos, ações ou omissões.

Essa é uma ordem e tanto que dei a vocês.

Mas sintam-se à vontade para cumpri-la se estiverem suficientemente interessados em seus próprios futuros. Quando tiverem cumprido essa ordem, vocês irão se conhecer, irão conhecer seus potenciais para o sucesso, suas forças e fraquezas. E estarão aptos a tirar proveito máximo do privilégio de controlar corpo e mente, que lhes foi concedido pelo Criador.

Fé aplicada

Isso nos traz ao quinto e último fundamento do sucesso, chamado de *fé aplicada* – o tipo de fé que asseguramos tanto com ações quanto com crença.

A fé é um estado mental que foi chamado de "alimento da alma", por meio do qual nossos objetivos, desejos, planos e propósitos podem ser concretizados.

A fé começa com o reconhecimento da existência e dos inexoráveis poderes da Infinita Inteligência. Não existe algo como uma fé generalizada baseada em hipóteses infundadas.

A fé é o guia – ela não irá, por si só, trazer as coisas que vocês desejam, mas ela pode e irá lhes mostrar o caminho que devem seguir para ir atrás dessas coisas.

É por meio da fé que vocês podem fazer qualquer coisa que acreditam poder fazer, contanto que estejam em harmonia com as leis naturais.

Quando o Dr. Frank W. Gunsaulus era um jovem pastor no sul de Chicago, seu séquito era pequeno, e sua renda era insuficiente. Mas havia tempos ele contemplava a ideia de construir um novo tipo de instituição educacional onde os alunos pudessem dedicar metade do tempo ao aprendizado teórico dos livros e a outra metade a aplicar os aprendizados no laboratório da experiência prática.

Ele precisava de um milhão de dólares para executar o projeto, então pediu orientação por meio das suas orações. Seus esforços lhe trouxeram resultados imediatos e contundentes – uma ideia que ele acreditava que lhe traria o dinheiro de que precisava.

Escreveu um sermão que chamou de "O que eu faria com um milhão de dólares" e anunciou nos jornais de Chicago que pregaria um sermão sobre aquele assunto no domingo seguinte.

Naquela manhã de domingo, antes de sair de casa para ir à igreja, ajoelhou-se e fez a oração mais fervorosa que já havia feito, pedindo que o aviso do sermão chamasse a atenção de alguém que pudesse oferecer o dinheiro que ele buscava.

Então correu para a igreja. Ao subir ao púlpito, no entanto, percebeu que havia deixado em casa seu sermão escrito tão cuidadosamente – e não haveria tempo de voltar para buscá-lo.

"Foi naquele momento", diz Dr. Gunsaulus, "que fiz outra oração, e, em questão de segundos, a resposta que eu desejava veio até mim. E era a seguinte: 'Vá até o púlpito e conte para o público quais são os seus planos, e fale com todo o entusiasmo que a sua alma puder demonstrar.'"

Dr. Gunsaulus fez exatamente aquilo: descreveu o tipo de escola que havia tanto tempo desejava organizar, como gostaria de administrá-la, o tipo de benefícios que ela traria aos seus alunos e de quanto dinheiro precisava para fazê-la funcionar.

Quem ouviu o sermão conta que foi a primeira e última vez que ele falou daquela forma, com tamanha inspiração e um desejo ardente de prestar um serviço extraordinário.

Ao final do sermão, um desconhecido se ergueu no meio da multidão da igreja, caminhou lentamente pelo corredor, sussurrou algo no ouvido do pastor e então voltou calmamente para o seu lugar.

Fez-se um silêncio absoluto.

Foi então que Dr. Gunsaulus disse: "Amigos, vocês acabam de testemunhar um dos milagres de Deus. O cavalheiro que veio até mim se chama Philip D. Armour. Ele me disse para ir até seu escritório, pois ele providenciará o valor de um milhão de dólares de que preciso para a escola".

A doação construiu a *Armour School of Technology*, da qual Dr. Gunsaulus se tornou presidente. Recentemente, a escola tornou-se parte do Instituto de Tecnologia de Illinois.

"O grande mistério aqui", disse o Dr. Gunsaulus, "foi por que levei tanto tempo antes de me dirigir à fonte certa para encontrar a solução do meu problema."

O mesmo mistério já intrigou muitas outras pessoas que só foram orar quando tudo mais havia falhado em lhes trazer os resultados desejados em momentos de necessidade e emergência.

E esse pode ser um dos motivos pelos quais a oração geralmente traz apenas resultados negativos, pois é o que acontece quando oramos sem uma fé verdadeira, após ter conhecido o desastre ou então quando o desastre parece iminente.

Aprendi uma lição importante sobre o poder da oração quando meu segundo filho nasceu sem as orelhas.

Os médicos me deram a notícia da forma mais gentil possível, esperando aliviar o choque. Eles concluíram o anúncio dizendo: "Obviamente, seu filho será sempre surdo-mudo, porque nunca alguém que nasceu assim conseguiu aprender a ouvir ou falar".

**"Tudo que a mente humana pode conceber
e acreditar, ela pode conquistar."**

Aquela era uma tremenda oportunidade para eu testar minha fé, e fiz isso dizendo aos médicos que, embora eu não tivesse visto meu filho, de uma coisa eu tinha certeza – ele não passaria a vida como um surdo-mudo.

Um dos médicos veio até mim, colocou a mão em meu ombro e disse: "Olha, Napoleon, há algumas coisas neste mundo que nem você nem ninguém podem fazer algo a respeito, e essa é uma delas".

"Não há nada sobre o qual eu não possa fazer algo a respeito", respondi. "Posso ao menos escolher não me associar a uma situação infeliz para evitar que ela parta meu coração."

Comecei a pedir pelo meu filho em oração antes mesmo de vê-lo e mantive esse hábito por várias horas por dia. Três anos depois, ficou óbvio que ele estava ouvindo, mas não sabíamos quanto.

Mas ao completar nove anos, ele havia desenvolvido 75% da capacidade de audição. Foi suficiente para lhe permitir cursar a escola primária, secundária e chegar até o terceiro ano na Universidade da Virgínia Ocidental. A *Acousticon Company* construiu para ele um aparelho auditivo elétrico que lhe deu 100% de capacidade auditiva – exatamente como eu havia dito aos médicos que aconteceria.

Foi dessa experiência que tirei meu lema "Tudo que a mente humana pode conceber e acreditar, ela pode conquistar". Escrevi esse lema literalmente em meio a lágrimas de tristeza, sob uma pressão emocional que dilacerou meu coração.

E de alguma forma não consigo deixar de pensar que essa experiência foi a mais rica de toda a minha vida, porque ela me fez passar com segurança por um período de teste em que aprendi que as nossas únicas limitações são aquelas que estabelecemos e aceitamos em nossas mentes.

Acabei de lhes dar o que considero ser os cinco fundamentos do sucesso. Vocês podem usá-los, se decidirem abrir as portas do objetivo que desejam em suas vidas.

Foram maravilhosos os nossos avanços científicos nos últimos 35 anos, desde minha última vinda aqui, e espero progressos ainda maiores nas próximas três décadas e meia. E esses avanços acontecerão não apenas no campo da ciência, mas também na própria humanidade.

Um novo espírito está arrebatando o mundo, tomando o lugar dos medos obscuros impostos pela ameaça da guerra nuclear. Os homens estão aprendendo que são, de fato, os guardiões de seus irmãos. Estamos avançando não apenas na esfera material, como também na esfera espiritual. Nunca na história da humanidade tantas pessoas dedicaram seu tempo, energia e riqueza a ajudar seus semelhantes.

Não há objetivo mais elevado para vocês, jovens, do que se unir a essa legião de altruístas.

Lembrem-se de que não *encontramos* felicidade, mas sim a construímos. E, da mesma forma, as coisas que vocês vendem a certo preço vão-se embora para sempre, enquanto as coisas que vocês dão com o coração voltam para vocês em dobro.

A cristandade se tornou uma das maiores forças da civilização, porque seu fundador pagou por isso com a vida e a deu ao mundo com todo o seu amor.

No espírito do amor fraterno, que Ele ensinou, trago esta mensagem com a esperança de que ela possa ajudar a facilitar o caminho de suas vidas e os coloque mais próximos dos objetivos que escolherem.

Napoleon Hill palestrou em uma Convenção de Odontologia em 1952, quando já estava parcialmente aposentado. Ele tinha 69 anos e aproveitou a oportunidade de dar uma palestra em Chicago.

Em 1908 Hill havia passado algum tempo entrevistando o magnata do aço Andrew Carnegie, que o incentivou a se dedicar à jornada de desenvolver uma filosofia do sucesso.

Na Convenção de Odontologia, Hill foi apresentado ao magnata dos seguros W. Clement Stone. Quando jovem, Stone recebeu uma cópia do *best-seller* de Hill, *Quem pensa enriquece*, e ficou tão impressionado que distribuiu milhares de cópias. Todos que iam trabalhar na seguradora de Stone recebiam uma.

Stone foi se sentar com Hill na convenção e o desafiou a sair da aposentadoria para ensinar a filosofia do sucesso. Hill acatou o pedido, contanto que Stone fosse o seu gerente-geral. A união entre os dois grandes homens foi planejada para durar cinco anos, mas acabou durando dez. Durante esse período, Hill costumava usar Stone como um dos maiores exemplos da aplicação da filosofia do sucesso.

Juntos, Hill e Stone davam palestras em diversas cidades. Stone foi uma grande influência na vida pessoal de Hill, garantindo que Hill pudesse se aposentar milionário.

Juntos, Hill e Stone escreveram *Sucesso por meio de uma atitude mental positiva*, em 1960, e o livro imediatamente se tornou *best-seller*. Mais de cinquenta anos depois, segue vendendo bem nos Estados Unidos e em todo o mundo.

"O criador de homens admiráveis" é o resultado do trabalho de Hill com Stone. O prefácio dessa palestra é a excelente apresentação que Stone fez de Hill.

– Don M. Green

Introdução por W. Clement Stone
O CRIADOR DE HOMENS ADMIRÁVEIS

Vou lhes contar sobre alguns poucos milagres nesta noite por um único motivo: porque há alguém nesta plateia cuja vida será impactada para melhor. Caso contrário, tanto eu e o Dr. Hill quanto vocês estaremos desperdiçando o nosso tempo, porque a ciência da filosofia do sucesso faz as pessoas agirem.

Em 1940 fui a Salt Lake City para uma reunião de vendas. Antes da reunião, caminhei pela rua principal e, enquanto voltava para o *Utah Hotel*, passei por uma loja que vendia carvão. Na vitrine, havia uma pilha de carvão de quase um metro e meio de altura, e na frente daquela pilha havia um livro. O título era *Quem pensa enriquece*.

Acontece que, depois de ter ganhado aquele livro, lá em 1938, eu já havia distribuído milhares de cópias dele gratuitamente. E, como eu disse, vi milagres acontecendo. Então entrei na loja e perguntei pelo dono. Se algum de vocês for de Salt Lake City ou já esteve lá, talvez se lembre da loja de carvão, a *Martin's Coal Store*.

Perguntei ao Sr. Martin por que ele havia colocado um livro em frente a uma pilha de carvão e então expliquei como eu vinha usando aquele livro: como ele havia ajudado pessoas a resolver problemas pessoais e financeiros, como havia ajudado pessoas quando elas chegavam a um ponto em que parecia não haver mais para onde ir, a transformar todo aquele prejuízo em seus trunfos. Ou, citando Napoleon Hill: "Cada adversidade traz consigo a semente de um benefício equivalente". E elas tiravam proveito da situação e ficavam felizes de terem passado por aquela experiência.

Então o Sr. Martin me disse: "Vou lhe contar algo que eu nunca contaria para um estranho. Não sinto que você seja um estranho, porque temos muito em comum". Ele continuou: "Alguns anos atrás, meu sócio e eu tínhamos dois negócios (o negócio de carvão e um negócio de cascalho) e ambos estavam no vermelho. Pensamos que poderíamos salvar um vendendo o outro e descobrimos que não era possível. E por sorte, ganhei um livro – este livro, *Quem pensa enriquece*". E ele disse: "Nos últimos anos – e é por isso que eu não contaria a um estranho –, os dois negócios saíram do vermelho. Hoje, com todas as nossas contas pagas, temos dinheiro em caixa, além de um estoque de US$ 186 mil". E ele trouxe seus registros bancários para me mostrar.

Bem, em agosto do ano passado, dei uma palestra no *Kiwanis Club – North Shore Kiwanis Club –*, no *Edgewater Beach Hotel*, em Chicago. Falei sobre o livro *Quem pensa enriquece*. Como de costume, dei alguns exemplares do livro, principalmente para pessoas que me pareciam prontas para lê-lo. Uma delas era um jovem dentista, o Dr. Herbert Gustafson. Um mês depois, o Dr. Gustafson me telefonou e me perguntou se eu gostaria de me encontrar com Napoleon Hill. Ele disse que daria uma palestra em um grupo de estudos, um grupo de dentistas aqui em Chicago. Fiquei muito animado, porque eu pensava que o Dr. Hill havia falecido. Felizmente, descobri que ele estava bem vivo.

Fui à reunião e, durante o almoço, fiquei sentado ao lado do Dr. Hill. Falamos de filosofia e sugeri que, diante do sucesso de filmes como o de Bettger *Do fracasso ao sucesso em vendas*, ele deveria fazer um filme sobre o *Quem pensa enriquece*. Conversamos por um tempo e ficou acertado que ele voltaria para Chicago para discutirmos a possibilidade.

Dois ou três dias depois, o Dr. Hill, seguindo meus conselhos, concordou em sair da aposentadoria por um período de cinco anos. Mas havia uma condição – que eu fosse seu gerente-geral. E esse é o motivo pelo qual estou aqui nesta noite.

O Sr. Allen lhes contou sobre a *Napoleon Hill Associates*. Há apenas um motivo para ela existir – só um –, que é difundir a filosofia das conquistas americanas tal como foi ensinada por Andrew Carnegie a Napoleon Hill.

Durante o ano passado – que foi quando começamos a funcionar e estamos funcionando desde então –, vimos verdadeiros milagres acontecerem. Em minha própria empresa, vi vendedores medíocres se tornarem vendedores fenomenais. Homens que ganhavam, digamos, US$ 125 por semana e que passaram a ganhar trezentos, quatrocentos, quinhentos dólares por semana – em outras palavras, fazendo o impossível.

Em nossas aulas, por exemplo – e estou vendo alguns de nossos alunos aqui nesta noite –, o que fazemos é ajudar pessoas, incentivando-as e inspirando-as, a ajudarem a si mesmas. É tão fácil resolver um problema – tão fácil resolvê-lo de maneira inteligente – se você souber como.

> **"Os escritos do Dr. Hill cristalizam a ciência do sucesso em uma fórmula simples e compreensível que qualquer pessoa comum, ou mesmo qualquer jovem adolescente, pode seguir."**

A coisa mais maravilhosa sobre os escritos do Dr. Hill, como me disse Earl Nightingale, é que eles cristalizam a ciência do sucesso em uma fórmula tão simples e compreensível que qualquer pessoa comum, ou mesmo qualquer jovem adolescente, pode seguir.

Agora deixem-me contar uma ou duas histórias sobre alguns de nossos alunos. A que me chama atenção agora é sobre um sujeito de sobrenome Gromeyer; talvez vocês o conheçam. Ele é professor de música. Lá pela terceira semana do curso, de um total de dezessete semanas, ele passou quinze minutos da aula tentando provar que era impossível, para um professor de música, ganhar mais do que cem dólares por semana.

Bem, quando estou na sala de aula com esse tipo de grupo, a minha teoria é que é melhor deixar uma pessoa resolver seu problema de uma vez por todas do que concordar e não resolver coisa nenhuma; então ficamos falando do seu caso por cerca de uma hora. Tenho comigo uma carta do Sr. Gromeyer em que ele se desculpa por não ter ido às últimas aulas e diz: "Talvez você goste de saber que agora estou dormindo muito melhor. Não estou tão nervoso quanto costumava ficar". E continua: "Serei eternamente agradecido à *Napoleon Hill Associates*", e continua: "Lembra quando, antes de entender a filosofia, afirmei que era impossível que um professor de música ganhasse mais de cem dólares por semana?". E disse: "Talvez lhe interesse saber que, nas últimas dez semanas, minha renda média ficou entre US$ 375 e US$ 385 por semana".

Bem, eu poderia ficar contando casos e mais casos de coisas que acontecem em nossas aulas. Mas por que lhes conto isso? Porque Napoleon Hill e eu concordamos que esse seria um projeto para cinco anos; decidimos que faríamos cinquenta anos em cinco, ou dez para um. Para conseguir isso, temos que ter muitos Napoleon Hills. Temos que ter muitos professores. Temos que ter muitos moderadores. E temos que nos organizar para levar essa filosofia a todos que queiram recebê-la.

Não há um único dia durante a semana em que eu não receba em meu escritório alguém de algum lugar distante do país ou mesmo do mundo. Semana passada, recebi um homem que veio de Roma – um homem que está ensinando a filosofia para europeus, asiáticos, africanos. Uma filosofia tão diferente da filosofia de castas, que, por sua vez, é totalmente contrária à filosofia americana, segundo a qual uma pessoa pode conquistar tudo aquilo que conceber e acreditar.

Se nesta noite vocês simplesmente memorizarem o *slogan* "conceber, acreditar e conquistar" e gravá-lo para sempre em sua memória, e realmente acreditarem nisso, sairão daqui com um poder que os fará conquistar tudo que quiserem. E em se tratando de um país em que alguém fica diante das pessoas e afirma que elas têm um poder inerente, dado por Deus para que tenham o direito de fazer o que suas mentes imaginam poder fazer, vocês poderão ver como nós, que estamos aqui tentando ajudar outras pessoas, nos alegramos e nos entusiasmamos com o nosso próprio trabalho.

Há uma expressão que uso para falar de Napoleon Hill. Vocês podem julgar por si mesmos se ela é merecida. Eu poderia falar a noite toda, caso após caso, sobre por que o chamo de "Napoleon Hill, criador de homens admiráveis". Se estiverem prontos, escutem. Escutem com atenção e levem com vocês a mensagem que ele vai tentar lhes transmitir. Obrigado.

O CRIADOR DE HOMENS ADMIRÁVEIS

Napoleon Hill

Boa noite, senhoras e senhores. Sabem, as pessoas são maravilhosas, se vocês as conhecerem de perto. E uma das coisas sobre o trabalho que estou desenvolvendo é que estou unindo pessoas sob circunstâncias adequadas, em que elas podem encontrar as melhores qualidades umas das outras.

Como dividirei minha fala em três noites e pretendo conhecer bem alguns de vocês, vou levá-los ao começo de todo esse movimento que hoje está se espalhando por todo o mundo. Vou levá-los de volta a uma cabana de madeira lá nas montanhas da Virgínia Ocidental – no condado de Wise, para ser mais preciso –, para aquele pequeno barraco de madeira em que nasci há muitos anos. Mas não tantos anos quanto vocês estão pensando.

Lembro-me muito bem dos objetos que eles tinham naquela casa. Havia uma mesa, que era presa à parede de forma que você podia colocá-la para baixo quando não estava sendo usada. Havia uma cama, um colchão de palha, muito diferente dos colchões de molas que temos hoje. Eles também tinham um grande forno em que o pão era assado direto no fogo. Tinham um cavalo, uma vaca e um pernil, que haviam sido doados por seus pais. Foi assim que meu pai e minha mãe começaram a vida.

E quando cheguei, recebi a herança dos quatro cavaleiros: pobreza, medo, superstição e analfabetismo. Hoje, falando teoricamente, senhoras e senhores, não havia nenhuma chance na face da Terra de eu escapar dos confins do condado de Wise, onde nasci, em uma parte do país que era famosa por três coisas – destilado de milho, cascavéis e brigas nas montanhas –, até que algo aconteceu: minha mãe faleceu, e, em certo momento, meu pai trouxe para casa uma nova mãe, de longe a pessoa mais maravilhosa que já conheci em toda a vida.

A ciência do sucesso

Ela foi maravilhosa por conta da influência que exerceu sobre mim. E agora, para a alegria de vocês, dentistas, vou contar a vocês como a minha madrasta era uma mulher habilidosa. Ela aplicava essa filosofia do sucesso já naquela época, e eu nem me dava conta; não era assim que eu a enxergava. Minha madrasta tinha um conjunto de dentes artificiais, uma placa na arcada superior. Naquele tempo, eu nem sabia que algo assim existia, nunca tinha visto uma dentadura antes.

E aprendi muito sobre o assunto desde então. Certa manhã, ela estava tomando seu café da manhã e derrubou aquela placa, que ao cair se quebrou. O meu pai se aproximou, juntou os pedaços e os montou pessoalmente. Ficou olhando para eles por alguns segundos e então disse: "Martha, sabe, acho que eu consigo fazer uma dentadura". Ela largou seus potes e panelas, correu até ele e o agarrou pelo pescoço, abraçando-o e beijando-o, e disse: "Eu sei que você consegue fazer uma dentadura". E foi aí que pensei: "Meu Deus, que mulher!".

Meu velho fazendo uma dentadura? Eu sabia que ele conseguia ferragear um cavalo, pois vi com os meus próprios olhos. Mas fazer uma dentadura? Bem, aquilo era ridículo. De qualquer forma, onde ele conseguiria os ossos para fazer os dentes?

Bem, um tempo depois, eu estava voltando da escola para casa e senti um cheiro esquisito quando cheguei ao quintal. Quando entrei em casa, vi uma caldeirinha estranha sobre o fogo. Perguntei à minha madrasta o que era. Ela disse: "É um vulcanizador, seu pai conseguiu todo esse equipamento aqui. Ele fez um molde dos meus dentes hoje de manhã e fez uma dentadura para mim, que está ali dentro cozinhando".

Por fim, eles tiraram aquela caldeirinha do fogo e levaram-na até o rio para esfriá-la e, assim, conseguir retirar aquele pedaço de gesso lá de dentro. Meu pai pegou sua faca e retirou o gesso, e então pegou uma grosa de casquear cavalos – não sei se vocês sabem o que é uma grosa. Uma grosa é uma lima com a qual você corta os excessos do casco após colocar a ferradura no animal. Ele pegou a ponta mais fina da grosa e cortou as sobras de borracha daquela placa; depois pegou um pedaço de lixa e esfregou a dentadura, para, então, colocá-la na boca da minha madrasta. E acreditem ou não, dentistas, ela encaixou-se quase perfeitamente.

E foi assim que meu pai começou a praticar odontologia. Ele foi até a loja de ferragens e construiu sozinho um par de fórceps. Além disso, construiu um pequeno instrumento que chamava de "motor", no qual usava os pés para realizar trabalhos de perfuração. E ele saía a cavalo pelas montanhas da Virgínia, do Tennessee e de Kentucky para praticar seu ofício de dentista, e, pouco tempo depois, já estávamos bem de vida.

E assim foi por três anos, até que um oficial de justiça veio com um enorme livro de Direito debaixo do braço e disse: "Olha, Dr. Hill, aqui nos artigos 506 e 540 do Código da Virgínia diz que o senhor não pode praticar odontologia sem licença. Caso contrário, o senhor pode ir para a cadeia". Bem, meu pai foi até a sede do condado para ver o que poderia ser feito a respeito. E quando voltou, ao vê-lo cavalgando morro acima, eu sabia que ele tinha sido derrotado. Ele desceu do cavalo e disse: "É,

Martha, acabou. Não posso mais ser dentista. Parece que eu tenho que passar por um exame, e, é claro, você sabe que eu não conseguiria". E ela disse: "Olha aqui, Dr. Hill, eu não fiz de você um dentista para você me decepcionar. Então, se é preciso passar por um exame, você vai lá e passa, assim como todo mundo. Você vai para a faculdade". E eu pensei comigo: "Que mulher! Que mulher! Meu velho indo para a faculdade? Eles não o deixariam andar pelo *campus*, quanto mais entrar nas salas de aulas".

Senhoras e senhores, ela o mandou para a Faculdade de Odontologia de Louisville por quatro anos. Ele ganhou todas as medalhas que eram oferecidas já no primeiro ano, e não o deixaram competir pelo quarto ano, porque sabiam que ele ganharia. Vejam, meu pai era um dentista melhor quando entrou do que a maioria era quando saiu. E ela pagou as mensalidades usando o dinheiro do seguro de vida do seu falecido marido.

Então, senhoras, espero ter lhes dado, nesse exemplo, uma amostra de aonde vocês podem fazer seus maridos chegarem se vocês realmente quiserem – e não estou brincando ao lhes sugerir isso. Acho que uma das coisas mais incríveis que podem ser feitas com essa filosofia é despertar o interesse das esposas, de forma que elas inspirem seus maridos a aplicá-la.

E então aquela mulher maravilhosa, que havia transformado meu pai em dentista, me pegou pela mão e disse: "Olha, você é o mais velho da família. Temos que descobrir o que você vai fazer". E finalmente concluímos com ela me convencendo a me tornar redator de jornal. De uma só vez, comecei a colaborar com cerca de dezesseis jornais diferentes – todos pequenos jornais do condado.

E quando não havia nenhuma notícia, acreditem se quiserem, eu criava as notícias – e algumas eram bem dramáticas: brigas nas montanhas, contrabando de bebida, fiscalizações da Receita Federal. Uma coisa lhes digo: tínhamos muito material para trabalhar. E, certo dia, descrevi em um de meus artigos uma invasão a uma fazenda vizinha, e a descrição ficou tão perfeita que, no final das contas, era possível visualizar um alambique que lá havia. Os fiscais chegaram e por pouco não pegaram o alambique. E o fazendeiro veio e deu um aviso ao meu pai, que se o filho dele não parasse de escrever sobre alambiques clandestinos, ele teria que sair do condado. Foi o último artigo sobre produção clandestina de bebidas que escrevi.

Dessa experiência em jornais, senhoras e senhores, surgiu a habilidade que me garantiu uma oportunidade com o grande filósofo-filantropo-industrial Andrew Carnegie.

Meu irmão e eu havíamos nos matriculado no curso de Direito da Universidade de Georgetown com o intuito de nos tornarmos advogados. Não tínhamos nenhum dinheiro, mas eu tinha talento para escrever. E prometi que escreveria histórias sobre homens de sucesso e as venderia a uma revista, para pagar a nossa formação. E a minha primeira tarefa foi, felizmente, com Andrew Carnegie, em Pittsburgh. Ele me concedeu três horas. E quando o tempo acabou, ele disse: "Então essa entrevista é só o começo. Venha até minha casa e, após o jantar, retomaremos a conversa". Ele me manteve ali por três dias e três noites – e acreditem, fiquei mais do que lisonjeado e mal conseguia entender o porquê de tudo aquilo.

A filosofia econômica das pessoas comuns

Ele não parava de me falar sobre a necessidade de uma nova filosofia. Ele disse: "Tivemos tantos filósofos desde a época de Sócrates e Platão até os dias de Willian James e Emerson. Mas a maioria deles trata das leis morais da vida. O que precisamos é de uma filosofia econômica para o homem das ruas, que lhe permita usar o conhecimento adquirido por homens como eu ao longo da experiência de uma vida inteira".

Bem, tudo parecia muito bacana para mim, exceto por um detalhe: eu não sabia exatamente o que a palavra *filosofia* significava. Por fim, ao final do terceiro dia, ele disse: "Agora veja bem, falei com você por três dias sobre a necessidade de uma nova filosofia. Vou lhe fazer uma pergunta a respeito: se eu o incumbisse de se tornar o autor dessa filosofia, lhe desse cartas de apresentação a serem entregues a homens de cujas experiências você precisará, você está disposto a dedicar vinte anos de pesquisas – porque esse é o tempo que levará –, se sustentando durante todo esse tempo, sem nenhum subsídio de minha parte? Sim ou não?".

Senhoras e senhores, houve muitas vezes em minha vida em que enfrentei problemas e decisões difíceis, mas acho que nenhuma foi mais desconcertante do que aquela, porque, quando o Sr. Carnegie me fez aquela proposta, coloquei minhas mãos no bolso e contei o pouco dinheiro que tinha ali – apenas o suficiente para voltar para Washington. E se eu tivesse tido que ficar em um hotel, e não na casa do Sr. Carnegie, não teria nem isso. Eu não conhecia nem o significado da palavra *filosofia*, e ali estava o homem mais rico do mundo querendo que eu trabalhasse para ele por vinte anos, sem receber nada por isso. Que situação, não?!

Comecei a falar ao Sr. Carnegie – comecei a fazer exatamente aquilo que vocês, ou a maioria das pessoas, teriam feito nas mesmas circunstâncias. O que vocês acham que eu fiz? O que vocês teriam feito se estivessem diante desse tipo de proposta – trabalhar por vinte anos sem receber, para o homem mais rico do mundo?

Pois é, era o que eu estava prestes a fazer. Mas algo dentro de mim não me deixava falar, até eu me dar conta de que, se o Sr. Carnegie havia me mantido ali por três dias, deveria haver um propósito. Ele deve ter visto algo em mim que nem eu mesmo sabia que existia. Além disso, esse homem, que tinha uma reputação de escolher bem seus homens, certamente não me escolheria para fazer um trabalho se não soubesse que eu tinha capacidade para tanto. E pouco importava o que ele tinha visto em mim, o fato é que havia uma pessoa invisível e silenciosa de pé atrás de mim, me olhando por sobre os ombros, e que sussurrou: "Vai lá, diga sim para ele".

Eu disse: "Sr. Carnegie, não apenas aceitarei a tarefa, como o senhor pode ter certeza de que irei concluí-la". Ele disse: "Gostei da forma como você terminou sua frase, e acredito mesmo que irá concluí-la. O trabalho é seu". A única contribuição que o Sr. Carnegie me deu, além de me apresentar a quem eu precisava ser apresentado, foi pagar as minhas despesas no início de nosso relacionamento.

O primeiro homem que ele me mandou ver foi Henry Ford. Ele disse: "Quero que você vá até Detroit e conheça Henry Ford. Observe-o com atenção, porque, mais cedo ou mais tarde, ele vai dominar a indústria automotiva e ficará atrás apenas da indústria do aço".

Isso aconteceu em 1908 – no outono tardio de 1908, senhoras e senhores. Fui até lá e passei dois dias tentando encontrar Ford, e quando o encontrei, ele estava saindo dos fundos de uma oficina onde fazia experimentos, vestindo um macacão, um chapéu-coco todo amassado, com as mãos cheias de graxa. Lembro que ele sujou as mangas da minha camisa quando nos cumprimentamos. Sentei-me por meia hora com o Sr. Ford, e praticamente toda a sua conversa consistia em "sim" e "não" – sobretudo "nãos". E me perguntei como um homem como o Sr. Carnegie poderia ter cometido um erro daqueles, imaginando que o Sr. Ford seria um líder de qualquer coisa um dia. Bem, nem vou lhes contar o resto, isso já basta.

Bem, desde aquela época tive o privilégio de fazer parte da vida de diversos grandes homens, em diversos estágios de suas vidas, de saber de seus erros e suas virtudes, seus fracassos e seus erros. E, em 1928, exatamente vinte anos após o Sr. Carnegie me incumbir daquela tarefa, coloquei em palavras escritas distribuídas em oito volumes a primeira interpretação da filosofia, sob o título de *A lei do triunfo*. O livro foi publicado em Meriden, Connecticut, e distribuído em todo o mundo.

Mais tarde escrevi *Quem pensa enriquece*, que não contempla toda a filosofia, e também foi distribuído em todo o mundo. Com a ajuda e cooperação do saudoso Mahatma Gandhi, todos os meus livros foram publicados na Índia, com milhões de cópias vendidas. Eles foram publicados em português e distribuídos em todo o Brasil. Milhões de cópias foram vendidas em uma edição especial lançada no império britânico. Em suma, eu diria que nunca houve outro autor, em qualquer época da história do mundo, em qualquer área do conhecimento, que tenha tido tanta assistência prática quanto tive para refinar e aperfeiçoar a ciência do sucesso e fazê-la chegar até as pessoas.

Para mim, senhoras e senhores, a parte mais profunda dessa experiência é que, como um jovem pouco escolarizado e sem dinheiro, nunca tive nenhum suporte ou organização que me apoiasse até o ano passado, quando o Sr. W. Clement Stone assumiu essa tarefa. E apesar disso, por mérito próprio, a filosofia se espalhou por todo o mundo e beneficiou milhões de pessoas. E eu só gostaria de lhes agradecer. Muito obrigado.

E quero lhes dizer algo para que vocês não tenham a impressão de que estou aqui elogiando minha própria inteligência: gostaria apenas de lhes dizer que nada disso seria possível se não fosse pelos poderes invisíveis que me guiaram e me direcionaram. Vocês sabem disso, assim como eu sei.

Você é um maluco

Depois da entrevista com o Sr. Carnegie, voltei para Washington e contei ao meu irmão o que havia acontecido. Ele ficou sentado em silêncio e não disse uma só palavra até eu terminar toda a história. Então, ele se levantou, veio até mim, colocou as mãos no meu ombro, se aproximou e disse: "Napoleon, desde que éramos dois garotinhos descalços correndo pelo rio Guest no condado de Wise, sempre desconfiei de que havia algo de errado com você. Mas de agora em diante, não vou mais desconfiar de nada, porque tenho certeza de que você é um maluco". Essas foram as palavras exatas do meu irmão.

E quero lhes contar, senhoras e senhores, que, como eu já tinha me afastado do Sr. Carnegie e a influência da sua personalidade incrível já tinha passado, eu estava de volta à dura realidade da vida, e, quando meu irmão se manifestou, parecia haver muita lógica em suas palavras. Desde aquele momento, sofri rejeição após rejeição. Não havia um único familiar que não concordasse com a opinião do meu irmão sobre o que eu havia feito. Havia uma única pessoa entre meus amigos e familiares que ficou ao meu lado e disse "Você pode fazer, e você vai fazer", que foi a minha madrasta. E quando lhes digo, agora vocês sabem por que ela era a mulher mais incrível que eu já conheci. Mas tive duas mulheres realmente incríveis na minha vida – duas. Uma delas foi a minha madrasta, e a outra é a minha esposa, meu *alter ego*, aquela que é minha maior crítica e ainda assim minha melhor amiga. E àquelas duas mulheres eu devo tudo que já fiz para beneficiar outras pessoas e tudo que ainda virei a fazer no futuro.

Agora, senhoras e senhores, vou lhes dar alguns exemplos da aplicação dessa filosofia, e lhes direi o que gostaria que vocês fizessem: peguem essa pasta que vocês têm aí e abram-na. Nela vocês irão encontrar seis dos dezessete princípios do sucesso delineados. E ao passo que vou dando a vocês esses exemplos, quero que observem quantos desses seis princípios foram usados nos casos que agora contarei.

Vocês notarão que o primeiro princípio do sucesso é a *Definição de propósito*. Esse é o número um. Ninguém nunca conquistou nada de valor neste mundo sem ter um propósito definido. E aqui estou falando de um propósito geral maior. Vocês podem ter, é claro, pequenos propósitos, mas, se desejam ter sucesso na vida, precisam mirar em algo no futuro, algo que ainda não conquistaram e que represente o que significa, para vocês, uma vida bem-sucedida.

E o número dois é o princípio de *Andar uma milha a mais*. Isso significa fazer mais do que a sua obrigação, sempre e com uma atitude mental agradável e gentil – sabe, como todos estão fazendo hoje em dia. Ah é, estão?

É sério, senhoras e senhores, vocês sabiam que o maior pecado da era em que vivemos é que a maioria das pessoas nem chega à segunda milha; valha-me Deus, elas na verdade nem terminam a primeira. E se possível, elas preferem receber ajuda do governo e não fazer nada. Não digam que falei isso, porque podem achar que estou envolvido na política, o que não é verdade. Mas essa é a verdade, querem o salário, mas não querem trabalhar – esse é um dos frutos da nossa economia hoje, sem sombra de dúvidas.

Este país foi construído por pioneiros, por homens que se arriscaram, que tiveram iniciativa, coragem, e que não tiveram medo. E esse é o tipo de homem e de mulher que estou tentando construir com esta filosofia – o tipo de pessoa que criou essa nação maravilhosa em que vivemos.

O terceiro princípio é o do MasterMind, que significa uma aliança de duas ou mais mentes trabalhando em perfeita harmonia para atingir um objetivo definido. Vejam, as palavras principais aqui são *perfeita harmonia*. Existem diversas alianças que trabalham visando um objetivo definido, mas, se não houver o elemento da harmonia perfeita, a aliança não passa de uma cooperação ou coordenação de esforços.

E o quarto princípio é o da *Fé Aplicada*. Acho que não preciso comentar muito sobre o significado dele, porque vocês certamente já sabem – mas estamos falando de fé aplicada, e não de fé teórica.

O quinto princípio é o da *Autodisciplina*. E o sexto é a *Força cósmica do hábito*. A lei da força cósmica do hábito é o que controla as leis naturais do universo, é a modeladora e criadora de todos os hábitos. E uma das coisas mais estranhas sobre o homem é que ele é a única criatura na Terra à qual foi concedido o poder de quebrar a força cósmica do hábito e criar os hábitos que quiser, a seu próprio critério. Todas as outras criaturas, menos inteligentes que o homem, vêm a esse mundo limitadas por um padrão que jamais conseguirão romper, um padrão chamado *instinto*. O homem faz seus próprios padrões. Ele pode decretar seu próprio destino. Pode modelar seu próprio futuro. Pode trabalhar por conta própria. E quando vocês lerem o livro *Como aumentar seu próprio salário*, digo-lhes que esse título não é um exagero, mas um eufemismo, porque é de fato verdade que, se a fórmula do livro for seguida, um homem conseguirá aumentar o próprio salário, ou uma mulher conseguirá aumentar o próprio salário, ou se consolidar em uma posição em que deseja estar na vida.

Acho que, se já houve neste país um momento em que as pessoas precisam reconhecer o poder de suas mentes, em que precisam superar suas frustrações e medos, esse momento é agora. Há muito medo espalhado por aí, muitas pessoas falando sobre depressão. Estamos tentando não nos deixar abater pela depressão ou não nos deixar envolver em outra guerra mundial. Vamos, cada um individualmente, colocar na mente um propósito definido que seja tão grandioso e tão significativo que não teremos tempo para pensar sobre as coisas que não queremos.

Sabiam que uma das coisas estranhas sobre a existência humana é o fato de que a grande maioria das pessoas nasce, cresce, luta, enfrenta a miséria e o fracasso e nunca consegue a vida que deseja, sem reconhecer que seria mais fácil mudar e buscar a vida que deseja, sem reconhecer que a mente atrai aquilo em que se concentra? Se você pensar em pobreza, em fracasso e em derrota, é exatamente isso que irá obter. Você pode pensar em sucesso, abundância e realização – e será isso que terá.

Imunidade mental e espiritual

Quero dizer a vocês que o período mais difícil de minha vida foi durante os vinte anos entre 1908 e 1928, quando tive que criar imunidade mental e espiritual contra as pessoas que diziam "Você não é capaz", "Não é possível", "Você não viverá o suficiente". Eu gastava pelo menos metade da minha energia indo contra as pessoas que achavam que aquilo não era possível.

Na verdade, alguns anos atrás, um grupo de alunos meus se juntou para comprar para mim um dicionário – um daqueles lindos e enormes.

Quem assiste enriquece

E a primeira coisa que fiz – eles o desempacotaram no tablado e me deram com uma apresentação formal – foi pegar meu canivete, ir até eles e dizer: "Senhoras e senhores, agradeço muito pela consideração, mas não posso aceitar este livro com uma palavra que está dentro dele, porque ela é ofensiva para mim". Então fui até a palavra *impossível* e a destaquei do dicionário. Eu disse: "Agora, sim, posso aceitar o livro, mas não quero nenhum livro que contenha a palavra *impossível*, porque já vi o impossível acontecer tantas vezes que sei que isso não existe".

Quantos de vocês já ouviram falar do programa de Earl Nightingale? Quantos? Uau, vejo que o Earl tem alguns amigos aqui também.

Tive um encontro dos mais agradáveis com Earl Nightingale há cerca de um ano, em Chicago. Ele se sentou e me contou um caso dramático que tinha acontecido quando teve acesso à minha filosofia. Earl estava trabalhando sozinho, por um salário medíocre, não saía do lugar e estava muito desanimado, quando uma pessoa lhe deu uma cópia dos meus livros. E ele foi se deitar e começou a ler antes de dormir, e, de repente, o livro lhe deu uma ideia que o fez gritar para que sua mulher fosse até ele depressa – ele havia encontrado. E ela correu, pensou que havia acontecido alguma coisa e, é claro, foi logo dizendo: "Encontrou o quê?".

E ele respondeu: "Encontrei o que estive procurando por muito tempo, descobri o que está atrapalhando o meu caminho rumo ao sucesso". E relatou: "No dia seguinte, decidi que iria colocar à prova Napoleon Hill e sua filosofia. Decidi que eu iria dobrar o meu salário e que isso aconteceria naquela semana. Bem, acredite se quiser, foi a coisa mais fácil que já fiz na vida. Tudo que precisei fazer foi pedir, e estava feito".

Earl conta: "Aquilo quase me assustou. Esperei um momento e pensei em tentar novamente, só para ver se não era uma coincidência. E funcionou de novo". Bem, agora Earl não precisa mais se preocupar em aumentar o próprio salário; ele está bem de vida. Chegou ao topo, tem um emprego importante e se encontrou. Ele encontrou Earl Nightingale, que hoje sabe ao certo o que quer em sua vida e o que quer fora dela. Senhoras e senhores, isso é tudo de que precisamos. Sabem, não precisamos de mais conhecimento, nem de mais educação e muito menos de mais fatos. O que precisamos é saber aproveitar melhor as coisas que já temos.

Cada um de vocês tem, entre suas forças potenciais, tudo de que precisa para fazer um trabalho incrível na área que escolherem, se vocês se dedicarem e fizerem bom uso dessas forças. Sabiam, senhoras e senhores, que, quando nascemos, quando chegamos a este plano, trazemos conosco dois envelopes lacrados? Em um desses envelopes, há uma longa lista de recompensas e riquezas que receberão por assumir o controle de sua mente e saber usá-la. E no outro envelope lacrado, está uma lista igualmente longa de punições que vocês deverão pagar se não aproveitarem e usarem suas próprias mentes.

O Criador não planejaria que os homens tivessem o dom maravilhoso e profundo do pensamento se não fosse para usá-lo. E como alguns filósofos disseram – gostaria que tivesse sido eu a dizer estas palavras, mas não fui –, "Tudo o que você tem, ou você usa ou você perde". E isso se aplica à inteligência e ao pensamento, como a todo o resto. Ou você usa, ou você perde.

Quarenta anos atrás, vim para Chicago pela primeira vez. Vivi aqui por dez anos. Tornei-me gerente de publicidade da Universidade de Extensão La Salle – o primeiro gerente de publicidade que eles tiveram. E não fiquei lá por muito tempo, apenas por cerca de três meses, até descobrir que a La Salle devia para todo mundo e não tinha dinheiro algum. E, quando recebi o cheque do meu salário, não tinha certeza se seria reconhecido no banco. Então, criei o hábito de correr até o banco antes de todo mundo para garantir que o meu seria compensado. Bem, aquilo me cansou, então lembrei-me do que o Sr. Carnegie sempre me falava. Ele dizia: "Quando você tem um problema, divida-o em diversas partes e resolva uma parte de cada vez". Assim, fiz um levantamento da instituição e descobri o que estava errado: eles tinham um homem encarregado do departamento de cobranças, parecido com o famoso capataz Simon Legree, que ameaçava punir os alunos se não pagassem as mensalidades, fazendo com que todos ficassem muito bravos – e, assim, não pagavam.

Fiz a empresa encaminhar o sujeito para outro emprego, em outra empresa. E aqui estou usando um eufemismo. Colocamos em seu lugar um vendedor que escrevia cartas gentis aos alunos, e fizemos duas coisas que colocaram a La Salle no topo, onde ela ficou por três anos. Primeiramente, fizemos parcerias entre os alunos e a escola, e vendemos a eles cerca de 80% das ações preferenciais, de forma que eles se tornaram nossos sócios. Em segundo lugar, eles se tornaram nossos agentes e começaram não só a pagar as mensalidades, mas também a trazer seus amigos e a matriculá-los em nossos cursos. E a La Salle teve o maior crescimento, devo dizer, pelos cinco anos seguintes, do que qualquer outra instituição educacional em qualquer tempo, em qualquer lugar.

Se eu não tivesse sido treinado pelo Sr. Carnegie, não saberia como lidar com o problema e dividi-lo em partes. Tive outra oportunidade de demonstrar a aplicação prática dessa filosofia antes dos 21 anos de idade. Casei-me e fui visitar a pequena cidade de Lumberport, na Virgínia Ocidental, onde moravam meus sogros. Eles não me conheciam, e minha esposa me levou até lá para me apresentar a eles. Antes de sairmos de Washington, comprei um belo par de luvas para mim, para causar uma boa impressão. Mas quando chegamos a Lumberport – ou melhor, Haywood, a três quilômetros de Lumberport, onde a rede elétrica interurbana acaba e onde se anda de coche puxado a cavalo –, estava chovendo muito e não havia nenhum coche. E tive que andar aqueles três quilômetros carregando duas malas. Quando cheguei lá, meu belo par de luvas estava prejudicado – assim como minha disposição.

Foi uma sorte muito grande, porque o que aconteceu me permitiu fazer algo que valeria muito mais que um milhão de dólares, o que aconteceu menos de seis meses depois de começar a aplicar a filosofia de Carnegie. Falei para meu cunhado: "Por que vocês não pedem à empresa de bondes que construa um trilho até aqui, para que vocês possam ir e voltar de Lumberport sem ter que andar pela lama?". Eles disseram: "Bem, você viu o grande rio Monongahela por onde vocês passaram?". Respondi que sim. E então ele falou: "É por causa dele que não pedimos. Estamos há dez anos tentando fazer um bonde chegar até aqui, mas não conseguimos". E eu disse: "Dez anos? Bem, eu consigo fazer em seis meses". E um deles me falou: "Ah, que ótimo. É bom termos alguém assim na família, não é?".

Quando a chuva parou, pedi para meus cunhados me levarem até o rio que estava causando o problema. E eles me contaram que custaria cem mil dólares para construir uma ponte cruzando o rio e que isso era mais do que a companhia de bondes estava disposta a investir em todo o projeto. E eu estava lá, parado, buscando uma saída para aquela enrascada em que minha língua grande havia me metido. E aqui vai uma descrição do rio: as margens tinham cerca de trinta metros de altura, e a estrada do condado descia em zigue-zague em paralelo ao rio e passava por uma pequena ponte estreita, subia para o outro lado do rio e depois atravessava cerca de quatorze linhas de trem que se cruzavam. Era o lugar onde a *B&O Railroad* havia se estabelecido e construído seus trens de transporte de carvão.

E enquanto eu estava parado ali, e como geralmente acontece em casos de emergência, aquele homem que ficava me olhando por sobre os ombros – aquela mesma pessoa silenciosa que estivera ali tantas vezes quando tive que enfrentar problemas reais que sozinho não conseguia resolver – sussurrou no meu ouvido e disse: "Está vendo aquele fazendeiro ali esperando pelo trem de carvão passar para abrir a estrada?". Um trem tinha vindo e bloqueado a estrada. E eu disse a mim mesmo: "Sim, estou vendo, e também estou vendo a solução. Vejo que há três partes interessadas nessa estrada, nessa ponte. A *B&O Railroad Company* quer que a estrada do condado fique fora de seus trilhos porque um dia desses vai acontecer um acidente que lhes custará muito mais do que o preço da ponte. Os comissários do condado querem a estrada fora dali pelo mesmo motivo, e a empresa de bondes quer, porque gostariam de ter uma receita extra vinda de Lumberport".

Dentro de uma semana, eu tinha os nomes das três partes – da *B&O Railroad Company*, dos comissários do condado e da empresa de bondes. E ao final do período de seis meses, tomei o primeiro bonde rumo a Lumberport que já havia chegado àquela cidade.

Mais tarde, em 1934, tomei o último, quando retiraram os trilhos e começaram a operar com ônibus.

Engenhosidade

Pois bem, o Sr. Carnegie me ensinou como fazer com que essa filosofia faça de você uma pessoa engenhosa em um momento de emergência. E quero dizer a vocês que essa é uma das coisas mais brilhantes a respeito dela. Quando você estiver contra a parede, quando já tiver gastado toda a sua inteligência e experiência, quando tiver feito tudo o que podia, então essa filosofia virá ao seu resgate e trará a resposta de que precisa. E já vi isso acontecer tantas vezes que nem tem mais graça.

Nessa mesma cidade, logo após chegar aqui para atuar como gerente de publicidade da Universidade de Extensão de La Salle, conheci Edwin C. Barnes, o único sócio que Thomas Edison teve na vida. E Ed Barnes e eu fomos almoçar ou jantar no Hotel Sheraton e lá ele me contou sobre como foi para West Orange, em Nova Jersey, em um trem de carga, porque não tinha dinheiro para pagar sua passagem, e como convenceu Edison a se tornar seu sócio; como passou cinco anos trabalhando em sucessivos empregos braçais, esperando uma oportunidade chegar, para então se tornar sócio do grande Edison.

Então ele disse algo que me pareceu um pouco como ostentação. Foi o seguinte: "Bem, agora estou bem de vida, ganho mais de doze mil dólares por ano". Eu lhe disse: "Doze mil dólares por ano? Se eu fosse sócio do grande Edison, eu estaria ganhando pelo menos cinquenta mil dólares por ano". E ele perguntou: "Como?". Vocês já pensaram na importância da palavra *como* quando alguém faz uma afirmação que vocês não sabem exatamente como pode ser sustentada? Vocês já tentaram usar a palavra *como*? Bem, já vi pessoas se contorcendo ao ouvirem essa palavra disparada contra elas no momento certo. E eu me contorci um pouco quando Ed Barnes disse "Como?". Mas aí fiquei sério. Comecei a aplicar a filosofia de Carnegie. Comecei a fazer perguntas e, quando terminamos a refeição, eu já tinha o plano que resolveria a questão.

Fiz Ed Barnes criar uma imensa rede de trocas, composta de todos os seus vendedores, e todos os vendedores das fabricantes de máquinas de escrever, além dos vendedores de suprimentos para escritórios da cidade de Chicago e seus arredores. E por meio dessa rede, quando um dos homens de Barnes que estivesse vendendo ditafones[*] encontrasse alguém que precisasse de suprimentos de escritório, ele ligaria para o escritório da rede, que iria transferi-lo para o vendedor apropriado. E o vendedor daquela área, quando ouvisse falar de alguém que estivesse precisando de um ditafone, iria ligar para o escritório, e o funcionário de Barnes iria atendê-lo. Em outras palavras, como Barnes teria cerca de 150 vendedores, eles teriam boas indicações e bons clientes potenciais sem ter que pagar nada por isso.

Algo parecido aconteceu durante a Primeira Grande Guerra, quando o preço das peles subiu muito e um alemão amigo meu, astuto que era, começou a criar gatos. Bem, aí ele se deparou imediatamente com um problema: descobriu que o preço da ração também estava alto. Mas como era aprendiz dessa filosofia, foi perspicaz o suficiente para resolver o problema, então

---

[*] Espécie de gravador. (N. P.)

começou a criar ratos, bem ao lado de onde criava gatos. Ele alimentava os gatos com os ratos, tirava a pele dos gatos e alimentava os ratos com as carcaças dos gatos, e assim não tinha mais gastos com ração.

Bem, meus planos para Barnes eram parecidos. Ele não tinha despesas. No primeiro ano após aquilo acontecer, sua renda ultrapassou os US$ 50 mil, e no segundo, US$ 100 mil; no terceiro foram mais de US$ 150 mil, e depois disso eu nunca mais soube os números, e acho que nem o fisco soube. Mas uma coisa eu sei sobre Ed Barnes – ele esteve aqui no último verão e veio me visitar. Foi uma visita muito bacana. Ele vive em Bradenton, Flórida. Hoje está aposentado – é multimilionário, e deve cada centavo de sua fortuna a essa filosofia.

Já foi dito que já criei mais homens de sucesso do que qualquer outra pessoa de nosso tempo. Não sei se isso é verdade, porque não é possível obter os dados exatos. Mas, senhoras e senhores, quando faço o levantamento das pessoas que conheço que começaram do zero e se tornaram milionárias – e algumas delas não com tanto dinheiro, mas que se tornaram profundamente bem-sucedidas –, reconheço que criei uma filosofia aqui, por meio do belo trabalho do Sr. Carnegie, que foi um benfeitor para o mundo – não apenas para os de nossa época, mas também para aqueles que ainda irão nascer.

Quando o Sr. Carnegie me convenceu a organizar essa filosofia, ele disse: "Vou doar meu dinheiro antes de morrer, assim que encontrar meios de doá-lo sem causar danos". E, como vocês bem sabem, foi exatamente isso que ele fez. Ele doou para fins educacionais, para bibliotecas, fundações de promoção da paz e de todas as formas que ele poderia imaginar. Mas ele disse: "Seguramente lhe confiarei a maior parte da minha riqueza para que você a leve às pessoas na forma do conhecimento que me levou a conquistar o meu dinheiro". E disse ainda: "Se você fizer jus a essa confiança e aperfeiçoar seu trabalho, o que acredito sinceramente que fará, chegará a um ponto em que será muito mais rico do que eu e terá criado mais homens bem-sucedidos do que jamais criei".

E, senhoras e senhores, quando o Sr. Carnegie fez essa declaração, foi um pouco demais para eu engolir. Pensei: "Bem, o Sr. Carnegie nunca me elogiou antes. Ele nunca disse nada que não acabasse se mostrando correto. Mas essa é uma daquelas coisas que nunca poderiam acontecer". Já fiz milhares de vezes mais homens de sucesso do que o Sr. Carnegie fez – milhares de vezes – e sigo fazendo outros mais até hoje.

Fatos e verdades profundas

Sabem, senhoras e senhores, durante esses vinte anos de pesquisa que realizei para construir essa filosofia, deparei-me com alguns fatos e verdades muito profundos. E um deles é o seguinte: que, quando uma crise abala o mundo, sempre aparece um desconhecido com uma fórmula para dissipar a crise – como Abraham Lincoln, por exemplo, em um tempo de necessidade, quando este país estava prestes a ser despedaçado por conta de conflitos internos; ou como George Washington, ainda antes de Lincoln; ou como Franklin D. Roosevelt, em um momento em que as pessoas estavam tomadas de medo e ficavam esperando por horas em filas imensas para retirar suas economias do banco.

E às vezes me pergunto se essa mão do destino, que tem um longo braço por trás, não chega a lugares como aquele onde nasci e tira pessoas daquelas bandas pobres e humildes e lhes dá bons empregos para seguir na vida, como uma fonte de inspiração e lição para outras pessoas, com o intuito de mostrar o que pode ser feito quando reconhecemos o poder do pensamento dado por Deus e o utilizamos de forma adequada.

Vivemos em uma grande nação e em um grande país. Não importa o que vocês digam sobre o governo em Washington, esse ou qualquer outro governo; não importa o que vocês digam sobre os gastos do governo;

não importa o que vocês digam sobre as políticas deste país nos círculos privados ou públicos, este ainda é o melhor país que Deus já criou e o melhor que há no mundo hoje.

Sabem, quando saí de Chicago, em 1922, após ter editado e publicado a *Napoleon Hill's Golden Rule Magazine*, todas as minhas adversidades, divergências e decepções foram sentidas aqui nesta cidade. E eu disse: "Não quero nunca mais ver esta cidade". E, vocês bem sabem, há uma coisa estranha sobre fazer essas afirmações dramáticas e definitivas: é melhor ter cuidado, porque elas acabam voltando e fazendo você morder a língua.

De todos os lugares do mundo, eu nunca escolheria Chicago para ser a sede da minha empresa, e agora estou feliz de estar aqui, porque a oportunidade da minha vida encontrei apenas em Chicago. Fala-se que "Deus atua de maneira maravilhosa na realização de seus milagres", e nunca deixo de pensar nisso, porque vejo acontecendo todos os dias da minha vida.

Se eu pudesse ter percorrido o mundo para escolher o homem certo, o homem mais indicado para me ajudar a fazer o trabalho que o Sr. Stone está fazendo hoje, eu não poderia ter feito escolha melhor do que fiz. E não saí procurando pelo Sr. Stone; foi ele quem veio até mim, o que comprova a afirmação que ele mesmo fez há pouco – que, quando você realmente está pronto, quando está preparado para qualquer coisa, ela de fato virá, por caminhos diretos ou tortuosos. Se você estiver pronto para fazer uma associação comigo (uma associação entre aluno e professor) – se você estiver realmente pronto –, descobrirá que esta noite poderá marcar o ponto de virada mais importante de toda a sua vida.

Quando eu estava dando aulas para um grande grupo em Los Angeles há alguns anos, um homem veio até mim no tablado para me cumprimentar após o fim da palestra. Ele disse: "Dr. Hill, já li todos os livros que o senhor escreveu. Acho que sei a maioria deles de cor. Sublinhei-os. Eles estão com os cantos dobrados de tanto que os usei. E quero lhe fazer uma pergunta, que espero que o senhor não leve para o lado pessoal: se eu me matricular nas suas aulas, aprenderei algo a mais do que já aprendi nos seus livros?".

E digo para vocês, aquilo me deixou desorientado por um momento. E então, como acontece com frequência comigo e com meus alunos nesses momentos de emergência, quando estamos entre a cruz e a espada, se você assimilou verdadeiramente essa filosofia de forma que não só você a tome, mas também ela tome você, você saberá as respostas. E em uma questão de segundos, a resposta veio, e eu lhe disse: "Bem, vou lhe dizer, senhor. Aquilo que você aprenderá nas aulas, não conseguirá tirar de nenhum de meus livros: você terá uma amostra de Napoleon Hill, de seu entusiasmo e de sua fé. E devo lhe dizer que eles são contagiosos". E ele disse: "É exatamente o que quero, eu virei às aulas".

E digo a vocês, senhoras e senhores, para encerrar minhas observações, que, se vierem à minha aula, tenho certeza de que entenderão a minha resposta para aquele homem, porque, se vocês se sintonizarem de verdade com a linha principal da minha fonte de fé e de entusiasmo, e forem doutrinados com essa filosofia, não importa o que estiverem fazendo de suas vidas, o que quiserem fazer, vocês sempre encontrarão as portas abertas. Muito obrigado a todos.

Em seus escritos e palestras, Napoleon Hill deu muita ênfase ao princípio de *Andar uma milha a mais*. Hill dizia que esse era o único princípio que faria uma pessoa crescer mais rápido do que qualquer outra coisa que pudesse ser feita.

Na natureza, a lei dos retornos crescentes significa que o valor do serviço que entregamos com a atitude mental correta não apenas volta para nós, como também se multiplica muitas e muitas vezes.

– Don M. Green

ANDAR UMA MILHA A MAIS
Palestra no Success Unlimited

Napoleon Hill

Mestre de cerimônias, membros do clube *Success Unlimited*, visitantes e amigos do público do rádio, a nossa aula de hoje trata do assunto *Andar uma milha a mais*. E antes de começar, creio que devo definir essa expressão e explicar-lhes exatamente o que ela significa. "Andar uma milha a mais", no contexto dessa filosofia, significa fazer mais do que a sua obrigação, sempre e com uma atitude simpática e amigável.

Mas é claro que vocês já sabem o que isso significa. É aquilo que todo mundo faz hoje em dia, não é? Não, acho difícil. Acho que talvez um dos problemas do mundo hoje, um dos motivos para o estado de caos em que nos encontramos nesta geração, é que a maioria das pessoas nem chega à segunda milha; valha-me Deus, elas na verdade nem terminam a primeira.

Não acredito que haja algum princípio relacionado a essa filosofia que possa levar um indivíduo tão longe e tão rápido e de forma tão definitiva quanto o hábito de andar uma milha a mais; ou seja, fazer algo útil para outras pessoas e esquecer temporariamente o que você irá ganhar como retorno imediato. Prestem atenção no fato de que a atitude com a qual vocês prestam esse serviço é a coisa mais importante a se lembrar.

Quando examinamos essa aula antes e falei sobre esse assunto, prometi que iria lhes contar sobre o homem que ganhou doze milhões de dólares por apontar dois lápis grafite. Querem que eu conte sobre isso agora?

Acho que vocês irão concordar que doze milhões de dólares por apontar alguns lápis grafite é um belo negócio, e foi o que aconteceu alguns anos atrás com um jovem chamado Carol Downs. Ele foi trabalhar no escritório de William C. Durant, que foi o homem que organizou a General Motors. Mas, naquela época, ele estava cuidando da Durant Motors.

Então, o Sr. Downs era um jovem bancário que trabalhava em um dos grandes bancos de Nova York em que o Sr. Durant tinha negócios. E o Sr. Durant foi lá em um sábado à tarde, após o horário do expediente, para descontar um cheque – um cheque bem grande. As portas haviam fechado havia pouco. E vendo as portas fechadas, tirou uma moeda do seu bolso e bateu na janela. Então veio o jovem Downs, que abriu a porta ao ver quem era, e o convidou a entrar. Quando descobriu o que o Sr. Durant queria, ele disse: "Bem, as portas estão fechadas, mas o cofre ainda não. Você terá o dinheiro". Mais do que descontar o cheque e abrir a porta (ele não precisava fazer isso), fez tudo com um sorriso no rosto e com uma atitude mental agradável que impressionou o Sr. Durant. Ao sair, o Sr. Durant disse: "Aliás, você se importaria de passar no meu escritório na quarta-feira pela manhã? Gostaria de fazer uma entrevista com você".

Carol Downs foi até lá, e o Sr. Durant disse: "Faz algum tempo que estou observando-o no banco. Percebi que você é gentil e que se empenha em fazer coisas para as pessoas, e faz isso com uma atitude amigável. E pensei que talvez você gostaria de ter uma oportunidade melhor do que tem no setor bancário. Talvez você pudesse vir para cá e entrar no setor automotivo comigo". O Sr. Downs disse: "Nada me agradaria mais, Sr. Durant, do que me unir a você, pois acompanho suas operações há bastante tempo. Você é um operador grande e de sucesso". Eles fizeram um acordo, e o Sr. Downs foi trabalhar no escritório de William D. Durant. Eles nem falaram sobre salário.

Fazendo hora extra

No seu primeiro dia no emprego, quando o relógio marcou cinco horas da tarde, soou um enorme sino e todas as pessoas naquele lugar – talvez cem pessoas – tentaram sair do escritório e entrar no elevador ao mesmo tempo. E por autodefesa, o jovem Downs permaneceu na sua mesa. Depois que todos tinham ido embora, ele ficou pensando o que fazia com que pessoas que trabalhavam para uma pessoa tão incrível quanto o Sr. Durant quisessem correr ao ouvir o sino em vez de ir embora tranquilamente. E enquanto estava lá sentado, o Sr. Durant saiu de seu escritório privativo, viu o jovem e falou: "Sr. Downs, você não sabe que saímos às cinco?".

E o Sr. Downs disse: "Sim, Sr. Durant, eu sei, mas eu estava aqui pensando sobre o que acabei de ver". E então reiterou que todas as pessoas tinham saído correndo pela porta. E, por fim, disse: "Sr. Durant, há algo que eu possa fazer pelo senhor?". E o Sr. Durant disse: "Sim, preciso de um lápis, estou procurando um lápis". E o jovem se levantou de sua mesa, foi até o estoque e pegou não um, mas dois lápis, levou-os até o apontador e os deixou bem afiados para, então, entregá-los ao Sr. Durant. Ele virou-se para sair, mas percebeu que o Sr. Durant olhava para ele com um interesse incomum.

E algo dentro dele, um pressentimento, sugeriu que apontar não apenas um, mas dois lápis, e entregá-los ao Sr. Durant tinha atraído a atenção de um homem de negócios extraordinário. E decidiu que, a partir de então, não importava quanto tempo o Sr. Durant ficasse após aquele sino soar, nunca sairia do escritório antes do seu chefe. Downs pensou: "Espero estar em seu caminho quando ele quiser alguma coisa, quando quiser outro lápis ou qualquer coisa, e que, então, ele tenha que me chamar porque não há mais ninguém por perto".

Agora pergunto, senhoras e senhores, quantas pessoas que vocês conhecem teriam ficado após o expediente simplesmente com o intuito de servir o homem que estava à frente do negócio? Quantas pessoas que vocês conhecem teriam feito isso?

Então um dia, quando Sr. Downs já trabalhava na empresa havia cerca de cinco meses (e ganhando um salário módico), o Sr. Durant lhe telefonou e disse: "Downs, acabamos de comprar uma nova fábrica, uma montadora lá em Nova Jersey, onde iremos montar automóveis, e gostaria que você pegasse esse conjunto de plantas que mostram onde cada máquina deve ser montada. Vá até lá e supervisione a instalação das máquinas, porque elas serão descarregadas na segunda-feira. Você acha que consegue fazer isso?". E Downs contou: "Eu fui insensato o bastante para lhe dizer que sim, eu conseguiria". Ele pegou as plantas e saiu, foi até o parque e sentou em um banco para dar uma olhada nelas. Ele não conseguia nem ler as plantas. Vocês sabem, bancários supostamente não são familiarizados com plantas de engenharia. Mas ele fez algo incomum, senhoras e senhores – algo que uma pessoa comum, que não tem o hábito de andar uma milha a mais, não teria feito. Ele disse a si mesmo: "Bem, o Sr. Durant está contando comigo para fazer esse trabalho. E eu lhe disse que conseguiria fazer. Eu não consigo, mas posso encontrar alguém que consiga e que faça". E imediatamente se ocupou de contratar um engenheiro, à sua própria custa, para ir lá e ajudá-lo com a instalação do maquinário.

O Sr. Durant lhe disse que levaria cerca de três semanas. Ao final de duas semanas, o trabalho estava feito, e Downs voltou para o escritório em Nova York. Quando chegou ao escritório, a telefonista disse: "Sr. Downs, o Sr. Durant pediu para você ir até o escritório dele antes de voltar para a sua mesa". E quando chegou lá, o Sr. Durant disse:

"Bem, Downs, você perdeu o seu emprego enquanto esteve fora".

"O quê? Como assim, Sr. Durant? Quer dizer que fui demitido?"

"Bem, eu não diria dessa forma, mas posso dizer que você perdeu seu emprego. Pode voltar lá e limpar sua mesa."

Downs disse: "Bem, Sr. Durant, achei que eu tivesse feito um bom trabalho lá em Nova Jersey. Achei que tivesse cumprido suas ordens. Gostaria de saber por que estou perdendo o meu emprego".

"Bem", ele respondeu, "se você reparar naquele escritório de canto, aquele escritório privado ali embaixo, encontrará na porta daquele escritório o nome do seu sucessor. Agora desça e limpe a sua mesa; retire seus pertences."

Ao passar pelo escritório, ele leu "Carol Downs, Gerente-Geral". Correu de volta para o escritório do Sr. Durant e perguntou: "O que isso significa?". Durant disse: "Isso significa, senhor, que agora você é gerente-geral, e o seu salário é de cinquenta mil dólares por ano".

Imaginem só – esperar ser demitido e, em vez disso, ser promovido a gerente-geral ganhando cinquenta mil dólares por ano! Sem falar que o Sr. Durant colocou o Sr. Downs em contato com homens notáveis de Wall Street que o iniciaram no negócio de compra e venda de ações e títulos. E nos cinco anos seguintes, ele obteve um lucro líquido de doze milhões de dólares. E eu digo a vocês, senhoras e senhores, que esse lucro remonta a uma circunstância tão insignificante que uma pessoa comum nem teria notado, nem teria percebido o que estava acontecendo. Remonta, sobretudo, ao momento em que esse jovem saiu e abriu a porta do banco mesmo sem precisar – quando recebeu um homem que queria descontar um cheque e o fez com prazer e simpatia. Quero lhes dizer que, não importa qual é o seu negócio, não importa quem você é ou quais são os seus objetivos na vida, não é possível ir muito longe se você não criar o hábito de andar uma milha a mais, de prestar um serviço útil sempre e em qualquer lugar que puder.

"Não é possível ir muito longe se você não criar
o hábito de andar uma milha a mais, de prestar um
serviço útil sempre e em qualquer lugar que puder."

Há mais de quarenta anos, abandonei a faculdade de Direito da Universidade de Georgetown e fiz a minha primeira entrevista com Andrew Carnegie, o grande magnata do aço. E durante os três dias em que ele me manteve ali, convenceu-me a escrever a primeira filosofia da realização pessoal do mundo. Uma das condições que me foram impostas para que ele me desse essa tarefa, sua influência e colaboração para chegar aos homens de sucesso de que eu precisaria foi que eu deveria passar os vinte anos de pesquisa sem nenhum suporte financeiro de sua parte, ganhando o meu próprio sustento enquanto realizava o trabalho.

Quando voltei para a Universidade de Georgetown, onde meu irmão e eu havíamos nos matriculado, e contei o que tinha acontecido, meu irmão disse: "Napoleon, por toda a minha vida desconfiei que você era louco, mas agora não suspeito mais. Agora *sei* que você é um maluco – um completo maluco. Olha só para você, trabalhando para o homem que tem todo o dinheiro desse mundo, praticamente por vinte anos sem nenhum pagamento. Por favor, me explique, o que você vai usar como dinheiro – conchinhas do mar, imagino?".

Senhoras e senhores, comecei a trabalhar com Andrew Carnegie no outono de 1908. Terminei o trabalho no outono de 1928, exatamente vinte anos depois de ter começado. É verdade, trabalhei vinte anos sem uma remuneração direta, mas quero lhes dar uma ideia das coisas que vieram em consequência do serviço que prestei durante aqueles vinte anos.

Em primeiro lugar, tenho hoje cerca de 65 milhões de seguidores que compraram meus livros, pagando milhões de dólares por eles. Um único livro que escrevi, o livro chamado *Quem pensa enriquece*, já rendeu mais de três milhões de dólares para a editora – quero dizer, para o autor e para a editora – e está destinado a vender muitas e muitas vezes mais. Já produzi livros sob outros títulos que estão sendo vendidos neste e em outros países. Acabei de finalizar outro livro, cujo título foi recentemente alterado para *Sucesso ilimitado*, que acredito que irá faturar três ou quatro vezes mais que o *Quem pensa enriquece*. E eu diria que, justamente porque andei uma milha a mais por vinte anos, a soma de dinheiro que meus escritos, meus livros, faturaram até o momento é maior do que cinco gerações de meus antepassados de ambos os lados ganharam durante todas as suas vidas. É algo a se pensar, não é?

Quando comecei com Andrew Carnegie, eu sabia tão pouco sobre a palavra *filosofia* que, quando saí de seu escritório, fui para a biblioteca para pesquisar sobre aquela palavra. Mas durante os vinte anos de pesquisa, aprendi muito sobre o que a palavra *filosofia* significa, e pude criar uma filosofia que foi tão benéfica para homens e mulheres em todo o mundo que já estimaram que, se todo o sucesso que ajudei a construir com essa filosofia – e aqui falando puramente de sucesso financeiro, sem falar sobre o sucesso espiritual ou outros sucessos que poderiam vir –, se todo o dinheiro ganho pelas pessoas que compraram meus livros e foram guiadas por eles fosse reunido, seria suficiente para arcar com as despesas desse governo por algo como uma hora, digamos. Acho que vocês concordarão que esse é um eufemismo grosseiro dos fatos.

Fui almoçar com meu irmão em Washington no verão passado. Ele me levou a um restaurante muito fino, o restaurante mais caro de Washington, algo que nunca havia feito antes. Antes, ele costumava me levar a uma cantina, onde eu geralmente pagava pelo meu almoço e pelo dele também. Fiquei me perguntando o que estava acontecendo. Ele reservou uma mesa para a Sra. Hill e para mim. Havia um enorme buquê de flores, lindíssimo, na mesa, e eu pensei: "Tem alguma coisa aí. Não sei o que é, mas vou esperar para ver". E quando nos sentamos, ele se levantou e falou: "Eu gostaria de fazer um discurso. Gostaria de lembrar uma afirmação que fiz neste mesmo hotel há cerca de quarenta anos, quando lhe disse que você deveria ir para um hospital psiquiátrico para examinar sua cabeça, porque achei que você estava louco por trabalhar para Andrew Carnegie por vinte anos sem ser pago por isso". Ele disse: "Gostaria de retirar o que eu disse, corrigir e editar dizendo que a afirmação estava correta; mas eu a direcionei ao homem errado. Eu que deveria ir a um hospital psiquiátrico para examinar minha cabeça", porque ele havia se dado conta de que aquele livro que escrevi, o *Quem pensa enriquece*, havia faturado mais dinheiro do que todos os nossos antepassados provavelmente ganharam durante toda a vida.

Pois bem, senhoras e senhores, há muitas coisas que eu poderia ter feito que teriam sido úteis para me ajudar a subir na vida. Mas quero lhes dizer, não há nada que eu já tenha conquistado, nada que eu espere ainda conquistar, que não tenha sido devido em grande parte à minha disposição, minha atitude mental, minha atitude espiritual diante da questão de andar uma milha a mais, e à minha disposição e meu hábito de aplicá-la. Posso lhes recomendar esse princípio como sendo aquele que vai lhes fazer subir na vida mais rápido do que qualquer outra coisa que vocês possam fazer.

Qualidade, quantidade, atitude mental

Quero lhes dar uma fórmula, e aqueles que estão tomando notas deveriam registrá-la. Eu a chamo de "fórmula QQAM", que significa que "Q" mais "Q" mais "AM" é igual à sua retribuição na vida, e a fórmula QQAM significa que a soma da qualidade do serviço que você entrega, mais a quantidade de serviço que você entrega, mais a atitude mental com a qual você o entrega é igual ao pagamento que você recebe em troca. E, senhoras e senhores, quando digo pagamento, não quero dizer aquele dinheiro que você recebe em um envelope ou que é representado pelos dígitos da sua conta bancária. Estou falando do pagamento que vem sob a forma das coisas de que você precisa no mundo – paz de espírito, harmonia e visão da relação que você tem consigo mesmo e com as pessoas ao seu redor (as coisas que mais importam na vida).

Uma coisa muito interessante sobre esse princípio de *Andar uma milha a mais* é que você não precisa pedir a ninguém pelo privilégio de adotá-lo. Você pode sempre agir dessa forma. Você pode trabalhar em uma empresa que acha que você não faz mais do que sua obrigação ao trabalhar mais do que você é pago para fazer, mas, se você deseja seguir seu caminho individualmente e estiver disposto a tirar proveito dos homens bem-sucedidos do passado, reconhecerá que vale a pena dar o melhor de si, independentemente do que estiver fazendo; doe-se sempre e doe-se com a atitude mental correta. Quando começar a fazer isso, você dominará uma das mais importantes leis da natureza, conhecida como "lei dos retornos crescentes", segundo a qual o serviço que você entrega com a atitude mental correta não apenas volta para você, mas também se multiplica muitas e muitas vezes, e o pagamento geralmente vem de uma fonte diferente daquela à qual você entregou o serviço.

A pena por não aplicar esse princípio – e vocês irão lembrar que todas as leis da natureza têm suas recompensas e suas penas – consiste no fato de que, se você não aplicá-la, a lei dos retornos decrescentes será aplicada a você. E chegará um momento em que você não apenas deixará de ser pago pelo que está fazendo, mas provavelmente também será demitido do seu emprego. Já vi isso acontecendo também.

Olha, eu sei muito bem que existem algumas pessoas neste mundo que acreditam que um de seus problemas atuais é que já estão fazendo mais do que estão sendo pagas para fazer. Bom, se isso for verdade, continue assim – continue assim e faça certa publicidade do que você está fazendo. Se você trabalha para alguém, por exemplo, e estiver entregando um serviço melhor e maior do que está sendo pago para entregar, mande um recado para um dos concorrentes do seu empregador e deixe que ele note você por um momento. Pode fazer bem para você. Não seja bobo de passar a vida fazendo mais do que a sua obrigação, sem esperar que o mundo o reconheça, porque, se isso acontecer, você acabará parando em um lugar chamado de abrigo dos pobres. Faça com que o mundo o reconheça.

Uma das últimas coisas que Andrew Carnegie me disse após eu terminar o meu trabalho com ele foi: "Quero que você saia pelo mundo e, mais do que ensinar essa filosofia em todas as estradas e cantos dessa vida, em todas as línguas da Terra se tiver oportunidade, quero também que prove para todo mundo que consegue fazer essa filosofia funcionar. E você só terá concluído a missão que lhe confiei quando tiver demonstrado que consegue fazer com que ela seja útil para si mesmo, fazendo com que a vida o recompense em seus próprios termos". Senhoras e senhores, aqueles de vocês que me conhecem intimamente, como Bill Robinson, sabem que chegou um momento em que essa filosofia permitiu que a vida me recompensasse em meus próprios termos e me trouxe tudo aquilo de que eu precisava, desejava ou poderia usar. É claro, eu gostaria de acrescentar uns cinquenta anos a minha vida, mas posso me contentar com menos.

Lá na Califórnia existe um homem chamado Clifford Clinton, que administra uma rede de cafés. E ele me contou que foi com a sua esposa a Los Angeles há dez anos, com dez mil dólares de capital e uma cópia do *Quem pensa enriquece*, e começou, então, a construir tudo do zero. E há cerca de quatro anos, ele me disse: "Hoje meus negócios valem bem mais que dois milhões de dólares, e devo cada centavo à sua filosofia e especialmente ao plano original com o qual administro meu café. E, segundo esse plano, se um cliente vem e pede uma refeição e não fica satisfeito com ela, quando ele vai ao caixa, pode pagar o valor que quiser ou não pagar nada se não sentir que seu dinheiro foi bem utilizado".

Eu disse: "Ora, Sr. Clinton, mas eles não se aproveitam de você de vez em quando?".

"Bem", ele disse, "talvez uma meia dúzia de vezes por ano alguém tente comer no café sem pagar."

E eu perguntei: "O que você faz nesse caso?".

Ele disse: "Bem, nós arrumamos uma mesa especial, colocamos flores, colocamos nosso melhor enxoval. E quando a pessoa chega, ela é posta nessa mesa especial. E depois de fazer isso umas três vezes, a pessoa se cansa e desiste".

Eu falei: "Em outras palavras, você acaba com ela com a sua gentileza".

Ele respondeu: "Exatamente".

Eu disse: "Mas e se a pessoa não entender a mensagem?".

Ele disse: "A gente continua lhe dando comida, mas divulgamos isso e chamamos o jornal aqui para tirar fotos dela".

Aí está um homem peculiar que fez uso desse princípio e o transformou em um sucesso absoluto.

Vou lhes contar outra experiência. Na pequena cidade de Flagstaff, no Arizona, que, no momento em que a história que vou lhes contar aconteceu era apenas uma extensa área na estrada, havia um agente da *New York Life Insurance Company* que costumava vender uma quantidade de seguros suficiente para garantir seu sustento, e, de repente, suas vendas começaram a aumentar tanto que o superintendente das agências enviou um homem lá para saber o que tinha acontecido. E o que aconteceu foi o seguinte: esse homem havia comprado diversas cópias do *Quem pensa enriquece*, autografado cada uma e escrito na folha de guarda: "Este livro me ajudou tanto que quero que todos os meus amigos e semelhantes tenham a oportunidade de lê-lo, por isso estou lhe emprestando essa cópia por uma semana. Ao final desse período, virei pegá-la para passar para o próximo". Assinou seu nome, e, para a sua surpresa, quando ia pegar de volta os livros, as pessoas geralmente o convidavam para entrar e se sentar; e então ele podia conversar sobre seguros de vida ou qualquer outra coisa que quisesse. Aquele pequeno gesto havia criado um elo em comum entre o corretor de seguros e seus clientes potenciais e havia quebrado a resistência que as pessoas geralmente têm contra vendedores de seguro de vida.

Seguro de vida

Vocês devem bem saber que um seguro de vida é uma das coisas mais difíceis de se vender no mundo, e exige de fato um trabalho de vendas; ninguém simplesmente compra algo assim. Descobri isso quando a *New York Life Insurance Company* fez do *Quem pensa enriquece* uma leitura obrigatória para todos os seus vendedores e pediu à minha editora cinco mil cópias do livro de uma vez. É um monte de livros. Cinco mil cópias de um livro é mais do que um livro médio dessa área vende durante toda a sua vida. Tudo isso se deve a um homem que descobriu como aplicar de maneira simples esse maravilhoso princípio de *Andar uma milha a mais*.

Quando comecei a publicar a *Napoleon Hill's Golden Rule Magazine*, logo após a Primeira Grande Guerra, um dia recebi uma correspondência de um homem chamado Arthur Nash, de Cincinnati, Ohio. O Sr. Nash era um alfaiate e comerciante que, em sua carta, me disse que estava enfrentando dificuldades financeiras e perguntou se eu poderia ir até lá lhe prestar uma assessoria. Fui até Cincinnati e passei vários dias com o Sr. Nash, e trabalhamos em um plano que iria salvar seu negócio da falência por meio do princípio de *Andar uma milha a mais*. Parecia que uma condição negativa havia se entranhado em seus negócios e todos os seus funcionários tinham, de repente, se tornado negativos.

Eles começaram a trabalhar mais devagar, as vendas caíram, e não havia dinheiro suficiente em caixa para pagar a folha de pagamentos na semana seguinte. Fizemos um plano, que enviei ao Sr. Nash. Ele reuniu seus funcionários e lhes disse:

"Senhoras e senhores, estamos trabalhando juntos nesse negócio há muitos anos. Alguns de vocês estão aqui há 25 anos. E houve um momento em que esse negócio foi muito lucrativo. Ganhamos muito dinheiro. Tínhamos muitos clientes fiéis por todo o país. E, de repente, o negócio começou a decair, e não vai parar de cair enquanto não conseguirmos recuperá-lo. Na verdade, estamos falidos. Napoleon Hill deu uma sugestão que, acredito que se vocês aceitarem e a colocarem em prática de bom grado, conseguirá salvar essa empresa, seus empregos, e ajudará todos os envolvidos."

"Agora", ele disse, "quero pedir que cada um venha aqui na segunda-feira de manhã e comece a trabalhar com uma atitude completamente diferente – uma atitude de cordialidade, de disposição para ir além e dar o melhor de vocês nesse emprego. Se fizerem isso e conseguirmos salvar a empresa, irei lhes pagar não apenas seus salários atrasados, mas também o da próxima semana, e, ao final do ano, dividiremos os lucros: parte deles virá para mim, pela responsabilidade de administrar o negócio, e o resto será dividido igualmente entre vocês. Em outras palavras, vocês irão se tornar praticamente sócios da empresa. Quero que saibam que, nessa próxima semana, e talvez na próxima também, vocês não receberão nenhum dinheiro. Se acreditam, assim como eu, que essa atitude mental, que a fé e a confiança, pode superar uma situação como essa, então vamos dar as mãos e ver o que podemos fazer." Ele tinha muitas outras coisas a dizer, mas esse foi o resumo e a essência de sua fala.

E ele disse: "Então, senhoras e senhores, não quero que se decidam agora. Vou sair da sala. Ficarei longe até vocês mandarem me chamar. Quando se decidirem se querem aceitar minha proposta, basta me chamar que voltarei aqui". Ele e eu fomos almoçar. Ficamos fora por cerca de duas horas, e, quando voltamos, os funcionários disseram que estavam esperando para dar a resposta. Quando entramos, senhoras e senhores, descobrimos que esses trabalhadores não apenas tinham concordado em aceitar as condições, mas também alguns deles tinham ido para casa e trazido suas próprias economias.

Quem assiste enriquece

Uma mulher tinha suas economias guardadas em um pote de conserva. Nunca vi tantas moedas em minha vida toda. Eles trouxeram suas cadernetas de poupança e disseram: "Sr. Nash, além de aceitar sua proposta, trouxemos cerca de três mil dólares de todos nós que podemos colocar no negócio imediatamente. Vamos entregar esse valor ao senhor. E se a empresa lucrar e puder devolver, muito bem; mas, se não der certo, estaremos dispostos a perder, porque estamos nisso juntos com o senhor".

Eles foram trabalhar dessa forma, e o resultado dessa nova atitude que floresceu entre patrão e empregados foi que a confecção de Arthur Nash se tornou muito mais lucrativa do que nunca. E até onde sei, embora o Sr. Nash tenha morrido há cerca de dez anos, ele se tornou muito bem-sucedido antes de morrer. E até onde sei, aquela empresa ainda é um negócio próspero e em expansão, por causa da atitude das pessoas que lá trabalharam. Quero lhes dizer que haverá um tempo – na verdade, esse tempo é agora – em que as empresas e indústrias em geral deverão se unir aos seus funcionários e buscar uma atitude parecida para andar uma milha a mais – não apenas por parte dos funcionários, mas também por parte dos empregadores.

Ajudei a convencer os gestores de muitas e muitas empresas pelo país a firmar parcerias com seus funcionários em uma espécie de plano de participação nos lucros, e, em todos os casos, ao fazer isso, as empresas acabam lucrando muito mais do que jamais lucraram. Elas não têm problemas trabalhistas, pois subscrevem apólices de seguros contra ações trabalhistas. As pessoas ficam mais felizes, se relacionam melhor. E se todos pudessem adotar e aplicar esse princípio de *Andar uma milha a mais*, poderíamos viver em um mundo muito melhor.

Então, ao adotar esse princípio de *Andar uma milha a mais*, você chamará a atenção – uma atenção favorável – das pessoas que podem e irão lhe oferecer muitas oportunidades, trazendo muitos benefícios que você nunca imaginou, apenas por ter andado uma milha a mais. Sabem,

Andar uma milha a mais

a natureza é uma força incrível, e ela obriga as pessoas a andarem uma milha a mais, especialmente aquelas que foram escolhidas para grandes responsabilidades. Ela as testa de diversas maneiras. Agora tenho aqui um poema que gostaria de ler para vocês, pois acho que irá chamar atenção para uma das formas maravilhosas por meio das quais a natureza faz seus testes. Acho que, após ler esse poema, vocês talvez queiram uma cópia autografada dele, então darei uma a vocês. Se o público do rádio quiser uma cópia assinada, escrevam para cá e lhes enviaremos. Aqui está. Escrito por Angela Morgan, ele se chama "Quando a natureza quer um homem".

Quando a natureza quer talhar um homem
E animá-lo
E aprimorá-lo
Quando a natureza quer moldar um homem,
Exercer seu papel mais nobre;
Quando ela anseia de todo o coração
Criar homem tão grandioso, tão corajoso
Que todo o mundo louvará –
Veja seus métodos, veja seus modos!
Como ela implacavelmente aperfeiçoa
Aquele que escolhe;
Como ela o martela e o machuca
E, com golpes poderosos, o converte
Em formas de provas
Que só a natureza entende –
Enquanto seu coração torturado chora e
Ele ergue suas mãos suplicantes! –
Como ela o enverga, mas nunca quebra,
Ao operar suas graças...
Como ela usa seu escolhido

Quem assiste enriquece

E a ele se une para todo o fim,
E de todas as formas o induz
A pôr a prova seu esplendor
A natureza sabe o que quer
Quando quer arrebatar um homem,
E fazê-lo tremer
E fazê-lo acordar;
Quando a natureza quer criar um homem
Para atender os desejos do futuro;
Quando ela prova com toda a sua maestria
E anseia do fundo de sua alma
Criá-lo esplêndido e completo...
Com que astúcia o prepara!
Como o aflige sem nunca poupá-lo,
Como o amola e o maltrata,
E na pobreza o faz nascer, o faz crescer...
Como ela tanto desaponta
Quem em segredo abençoa,
Com que sabedoria irá ocultá-lo,
Sem se abalar pelo que o aflige
Pode sua alma soluçar em súplicas
E seu orgulho jamais esquecer!
Faz sua luta ainda mais árdua
Faz dele um solitário
Para que apenas
A mensagem mais elevada dos céus o alcance,
Para que ela tenha certeza de que o ensinou
O que a hierarquia planejou.
Ainda que ele não entenda,
Ela lhe dá paixões para controlar,

Andar uma milha a mais

Incitando-o sem remorso,
Provocando-o com ardor tremendo
Quando ela, pungente, o escolhe!
Quando a natureza quer apontar um homem
E fazê-lo ascender
E fazê-lo obedecer;
Quando a natureza quer clamá-lo a fazer
O que tem de melhor...
Quando ela o coloca à mais dura prova
Que possa imaginar
Quando ela quer um deus ou um rei!
Como ela o domina e o confina
Para que seu próprio corpo o contenha
Enquanto ela o incendeia
E o ilumina!
Deixa-o ansiando, desejando com fervor
Um desígnio arrebatador –
Seduz e dilacera sua alma.
Desafia seu espírito,
Arrasta-o para longe ao vê-lo se aproximar –
Faz uma floresta, que ele desbasta
Faz um deserto, que ele cultiva,
Mesmo com medo, mesmo no escuro –
E é assim que a Natureza cria um homem.
E, então, para testar a ira de seu espírito,
Planta uma montanha em seu caminho –
Coloca uma escolha amarga a sua frente
E sobre ele se coloca implacável.
"Suba ou pereça", ela diz...
Veja seus métodos, veja seus modos!

Quem assiste enriquece

> Os planos da natureza são dos mais surpreendentes
> Que possamos entender de sua mente...
> Tolos são os que a julgam indiferente.
> Quando seus pés virarem sangue e feridas
> Mas, sem se dar conta, sua alma estiver se elevando
> E todas as suas forças estiverem se ordenando
> Para abrir novos e belos caminhos;
> Quando a força que é divina
> Surgir para o desafiar no fracasso
> E ainda assim batalhar com doçura
> E amor e esperança ardentes
> Mesmo na presença da derrota...
> Veja, a crise! Veja, os brados
> Que conclamaram o mestre.
> Quando o povo precisar de salvação
> Virá ele para liderar a nação...
> E assim a Natureza mostrará seu plano
> Quando, enfim, o mundo encontrar – um homem![16]

Senhoras e senhores, acho que esse poema vem bem a calhar hoje. Acho que é o momento de termos um grande líder não só neste país, mas também no mundo inteiro. E quando esse líder vier – ou talvez virá mais de um líder –, digo que, quando esses líderes vierem, vocês só terão certeza de que eles são grandiosos se forem duramente testados na adversidade, na derrota, nos obstáculos, nas decepções, nos sofrimentos, e só terão certeza de que eles são grandiosos se vierem e conseguirem inspirar neles a disposição de andar uma milha a mais em nome de todas as pessoas do mundo.

Crie um hábito

Agora quero lhes falar um pouco dos benefícios de andar uma milha a mais, de habituar-se a fazer isso, de adotá-lo como sua filosofia e usá-lo a partir de agora. Primeiramente, você terá a lei dos retornos crescentes agindo diretamente a seu favor – e isso é algo maravilhoso. Vocês sabem, a lei dos retornos crescentes é algo contra o qual não se pode lutar. Li, em um dos jornais locais, outro dia, sobre um experimento que um fazendeiro fez aqui no estado do Kansas, envolvendo a lei dos retornos crescentes da forma como é aplicada pela natureza. Ele pegou uma porção de trigo e plantou – só uma pequena porção –, e quando o trigo amadureceu, ele colheu e plantou mais uma vez; aí pegou toda aquela safra que havia plantado, colheu e plantou de novo. Repetiu o processo cinco vezes, e, ao final do quinto ano, senhoras e senhores, a colheita rendeu... adivinha quanto? Cento e sessenta mil dólares.

A natureza é generosa assim quando começa a lhe retribuir por você fazer o que deve ser feito, por entregar um serviço útil, por obedecer a suas leis, por entendê-las e adotá-las em sua própria vida. E de todas as leis que a natureza impõe, nenhuma é mais inexorável do que a lei de andar uma milha a mais, de entregar mais serviço – como acabo de dizer, "semear mais e melhor do que o esperado".

Em segundo lugar, esse hábito desperta a atenção daqueles que podem nos dar oportunidades de promoção pessoal. Não conheço nada neste mundo que possa ser tão benéfico a um assalariado do que adotar o hábito de andar uma milha extra, ficar um pouco a mais do que o esperado, não se importar com o relógio.

O jovem Downs, que trabalhava para William C. Durant, nunca tinha ouvido falar sobre o princípio de *Andar uma milha a mais* quando a história que lhes contei aconteceu. Mais tarde, ele se tornou um dos meus melhores alunos. Foi assim que conheci sua história.

E a última notícia que tenho dele é que ainda estava em Atlanta, na Geórgia, andando uma milha a mais, trabalhando como conselheiro da Associação dos Governadores do Sul, por um salário de um dólar por ano. Ele disse: "Tenho todo o dinheiro de que preciso. Agora estou me sentindo muito realizado. Ainda estou andando uma milha a mais". E, bem, como resultado dos serviços desse homem, senhoras e senhores, ele já trouxe para o sul mais de quinhentos milhões de dólares em investimentos na indústria. E haverá um tempo, como todos os bons analistas acreditam, que o sul ultrapassará o norte em termos de negócios industriais, sobretudo como resultado da atitude desse homem ao andar uma milha a mais. Não há limites para o que pode acontecer quando você entender o espírito desse princípio e começar a viver de acordo com ele, fazendo dele o seu próprio princípio – não apenas acreditando nele, mas também de fato vivendo de acordo com ele.

Em terceiro lugar, ele costuma nos tornar indispensáveis nas mais diversas relações humanas, permitindo, assim, que consigamos mais do que uma remuneração média.

Não sei se, a rigor, alguém realmente é indispensável, mas certamente há pessoas neste mundo que parecem indispensáveis. E se ser indispensável é realmente algo que você pode atingir, será mais fácil chegar lá se tiver o hábito de andar uma milha a mais.

E em quarto lugar, ele leva ao crescimento mental e aperfeiçoamento físico em diversas formas de serviço, desenvolvendo assim mais habilidades e competências na vocação que escolhemos. Nunca escrevi nenhum livro, nunca dei nenhuma palestra em minha vida sem ter a intenção de fazê-los melhor do que qualquer outra coisa que eu já tivesse feito anteriormente. Às vezes não atinjo esse objetivo, mas eu tento. E nesse esforço extra que coloco ao dar o meu melhor, acabo crescendo um pouco, e foi por meio desse tipo de esforço que cheguei à posição que considero ser a de primeiro lugar em todo o mundo na minha área – andando uma milha a mais, dando sem pensar em receber.

Além disso, ele nos protege contra o desemprego e nos coloca em condições de escolher o próprio emprego e condições de trabalho, e atrai novas oportunidades de promoção pessoal. Permite que nos beneficiemos da lei do contraste, porque a maioria das pessoas não está fazendo isso. A lei do contraste é algo contra o qual não podemos lutar. Olhe ao seu redor e você verá poucas pessoas andando uma milha a mais. E quando você começar a fazer isso, chamará atenção – às vezes a atenção invejosa de pessoas que não vão gostar do que você está fazendo. Mas não deixe isso impedi-lo. Continue seguindo por esse caminho.

Mais ainda, ele promove o desenvolvimento de uma atitude mental positiva e agradável, que está entre um dos traços mais importantes de uma personalidade simpática. E costuma também desenvolver uma criatividade atenta e aguçada, porque é um hábito que nos mantém sempre procurando maneiras novas e mais eficientes de entregar um serviço útil. Acho que nunca me comprometi a fazer uma palestra ou a escrever um livro sem aprender algo totalmente novo durante o processo. Por acaso, aprendi algo sobre falar em público aqui na semana passada, algo que eu não sabia até receber seus relatórios sobre a minha palestra. E daqui a pouco, quando estivermos falando sobre falar em público, irei lhes contar o que aprendi. Poderá ajudá-los – o que me lembra que devo alertá-los de que vocês nunca serão tão perfeitos ou tão bons ou tão bem-sucedidos a ponto de não ter mais nada a aprender. Enquanto a mente de vocês estiver aberta, enquanto estiverem dispostos a aprender, enquanto ainda não estiverem maduros, vocês irão crescer. Mas a partir do momento em que vocês amadurecerem por completo, o próximo passo é apodrecer.

Andar uma milha a mais tende a desenvolver uma criatividade atenta e aguçada. Quero que se lembrem disto: uma criatividade atenta e aguçada – porque vocês estarão sempre procurando novas formas de entregar serviço. Além disso, assim vocês desenvolverão um importante senso de iniciativa pessoal, sem a qual ninguém consegue nenhuma posição acima da mediocridade e sem a qual ninguém consegue conquistar liberdade econômica. Se vocês não desenvolverem o hábito da iniciativa pessoal, ou de fazer as coisas que devem ser feitas sem que alguém tenha que lhes falar para fazer ou acompanhá-los para ver se vocês estão fazendo, vocês nunca chegarão muito longe na vida.

Faça com prazer

Bem, esse negócio de andar uma milha a mais, se empenhar em andar uma milha a mais com prazer, certamente desenvolve a iniciativa pessoal. Faz com que você se alegre ao agir por iniciativa própria. E, coincidentemente, essa é a única coisa que a natureza planejou que todos os seres humanos deveriam fazer. A natureza lhe deu o direito incontestável de controlar a própria mente, esperando que você resolvesse seus próprios problemas e, em certa medida, determinasse seu destino na Terra por meio da atuação da sua mente, mas sempre a depender do uso de sua iniciativa própria – algo que você tem que fazer por contra própria; você não pode delegar a ninguém. É claro, há muitas pessoas no mundo que dependem de outras para pensar por elas, mas pessoas que são capazes de fazer isso estão rejeitando o maior privilégio que lhes foi dado pelo Criador – o direito de agir, usar, direcionar e controlar as próprias mentes.

A iniciativa própria é o traço mais notável de um típico cidadão norte-americano de sucesso, e este país foi literalmente erguido sobre as bases das iniciativas individuais. Se não fosse pela iniciativa individual daqueles 56 homens corajosos que assinaram o documento mais extraordinário que o homem já conheceu, a Declaração da Independência – se não fosse pela iniciativa individual de fazê-lo –, não seríamos pessoas livres aqui nesta noite. Não poderíamos sair pelo país fazendo o que quiséssemos, dizendo

Andar uma milha a mais

o que quiséssemos dizer, como podemos fazer hoje. Foi a iniciativa pessoal dos grandes industriais, dos grandes construtores de estradas e dos grandes financiadores que fez deste o país mais rico e mais desejado na face da Terra e nos deu o mais alto padrão de vida já conhecido pela humanidade.

Homens de iniciativa, dispostos a agir por conta própria, a arcar com as perdas, a cometer erros, a desfrutar dos sucessos e a assumir total responsabilidade pelos seus atos – esse é o tipo de pessoa que vai para a frente neste mundo, e não aqueles que buscam assistência do governo ou alguém que cuide deles na velhice. Há uma instituição que posso recomendar, onde vocês podem ter segurança absoluta. Acho que nenhum de vocês gostaria de ir para lá. É a penitenciária. Vocês conseguem entrar lá com muita facilidade e nem precisam se preocupar: seus problemas acabarão para o resto de suas vidas. Prefiro enfrentar a vida seguindo as minhas próprias regras, respeitar as condições que eu mesmo estabelecer e confiar que o meu conhecimento sobre esses maravilhosos princípios da natureza irá me guiar até onde quero chegar na vida, com a menor resistência possível.

Ademais, andar uma milha a mais sem dúvidas serve para desenvolver autoconfiança. Percebi que, ao avaliarem uma de minhas palestras anteriores, houve três fatores que vocês enfatizaram mais que outros: primeiro, vocês me avaliaram como "perfeito" no quesito entusiasmo; segundo, vocês me avaliaram como "perfeito" no quesito autoconfiança; e terceiro, vocês me avaliaram como "perfeito" no quesito equilíbrio. E quase todos vocês avaliaram dessa forma. E de onde vocês acham que consegui esse equilíbrio, essa autoconfiança e esse entusiasmo? Foi colocando em tudo que faço o melhor que tenho em termos de esforço físico, mental e espiritual – dar o melhor de mim, esperando que o melhor volte para mim. E eis que chegou o momento em que, além de ter o melhor voltando para mim, consegui ter à minha disposição tudo o que minha mente pode conceber, querer ou desejar.

Continuando, andar uma milha a mais também serve para construir a confiança dos outros em nossa integridade e habilidade de forma geral. Não sei se há algo que possa fazê-los subir mais no conceito de outras pessoas do que se elas os observarem, ao realizar suas tarefas profissionais – no seu negócio, emprego, trabalho, seja lá o que for –, e verem que vocês enfrentam as responsabilidades, dão o melhor de si, que não estão de olho no relógio, não estão enrolando, nem reclamando, nem esperando que o mundo garanta o seu sustento. Eu gosto de pessoas que acreditam que o mundo lhes deve apenas uma coisa, que é o privilégio de dar ao mundo o que elas têm de melhor.

O nosso próximo benefício de andar uma milha a mais é que isso ajuda a dominar o hábito destrutivo de procrastinar. Acredito que vocês conheçam essa palavra, não? A Senhora Procrastinação, ela é um pouco como a Senhora Morosa: só vai enrolando, enrolando, enrolando, sem dizer nada, sem sair do lugar.

E tem mais: andar uma milha a mais desenvolve a definição de propósito, sem a qual não podemos desejar obter sucesso em qualquer projeto.

Mais ainda, você poderá pedir promoções e aumentos de salários em um emprego assalariado, e nada mais na face da Terra lhe dá o direito de pedir uma promoção ou aumento de salário. Já vi pessoas terem seus pedidos de aumento negados ao longo dos anos, e geralmente o que os leva a pedir é algo assim. Um homem decide que quer mais dinheiro e vai ver com seu chefe, e diz: "Chefe, gostaria de um aumento de salário". E o chefe dirá: "Certo, e com base em que você faz esse pedido?". "Bem, minha esposa está grávida". E, bem, o chefe diz: "Eu não tenho nada a ver com isso, sabe. A responsabilidade é sua". Ou então: "Temos um caso de doença na família". E o chefe não tem nada a ver com aquilo também.

Mas quando você vai com bons argumentos e diz "Olha aqui, chefe, eu tenho dedicado mais tempo ao meu trabalho do que qualquer um aqui. Eu tenho produzido mais. Tenho uma influência nas pessoas ao meu redor. Tenho feito isso com uma atitude positiva. E estive pensando se você não gostaria de me oferecer algum tipo de reconhecimento antes que o seu concorrente descubra a meu respeito", pode ter certeza de que você chamará a atenção. Chamará ainda mais atenção se você estiver, de fato, andando uma milha a mais e fazendo mais do que a sua obrigação.

Levem esse princípio com vocês para casa nesta noite, adotem-no, escrevam-no em cartões e, então, tentem colocá-los em todos os cantos das suas casas, para que, não importa para onde olharem, sempre se deparem com esta simples frase: *Faça mais do que a sua obrigação*. E, mais cedo ou mais tarde, vocês serão recompensados. Obrigado.

Apêndice

"ESSE MUNDO DINÂMICO"

Artigo, cartas etc.

Segue-se um pequeno perfil de Napoleon Hill que foi publicado na revista *Plain Talk*.

Napoleon Hill conquistou uma posição ímpar na vida norte-americana por fazer um estudo preciso sobre os princípios que causam o sucesso ou o fracasso pessoal, tanto do ponto de vista material quanto espiritual.

Mesmo tendo nascido em uma cabana de madeira de um único cômodo nas montanhas do sudoeste da Virgínia, ele superou a pobreza com a ajuda de uma madrasta amorosa. Quando era um jovem redator de revistas, entrou em contato com Andrew Carnegie, que lhe sugeriu organizar uma "ciência do sucesso", para que outras pessoas não precisassem passar pelo método de tentativa e erro que fez Carnegie crescer.

Durante vinte anos de pesquisas, Hill entrevistou mais de quinhentas pessoas bem-sucedidas em diversos campos de atuação. Essa pesquisa foi a base para seus livros *Quem pensa enriquece*, *Como aumentar seu próprio salário*, e para um curso chamado de "Ciência do sucesso". Ele também foi o fundador de uma revista mensal, a *Success Unlimited*, publicada pela *Godfrey-Stone International Publications*.

As palestras de Hill foram muitas vezes reimpressas em jornais e revistas. A palestra a seguir foi publicada pela *Plain Talk*. Cada edição continha cerca de sessenta páginas e era vendida por 25 centavos. O propósito da revista era alertar os leitores sobre os perigos do comunismo. Era uma publicação ousada, para dizer o mínimo, que tratava de assuntos como o assassinato de prisioneiros judeus poloneses.

A *Plain Talk* foi fundada por Isaac Don Levine, um russo nascido em 1892 que migrou para os Estados Unidos em 1911. Levine se tornou redator de jornal e cobriu a Revolução Russa de 1917 para o *New York Herald Tribune*. Na década de 20, voltou para a Rússia para cobrir a Guerra Civil para o *Chicago Daily News*. Mais tarde, Levine trabalhou para a *Radio Free Europe*, na Alemanha Ocidental.

Os artigos publicados na década de 1940 foram oportunos e muito importantes, e permanecem relevantes até hoje. A gama de tópicos era ampla, cobrindo assuntos como a Palestina, China, espiões soviéticos no governo norte-americano, Coreia e muito mais.

A *Plain Talk* atraiu redatores, tanto dos EUA quanto de países estrangeiros, que tinham visões conservadoras, progressistas, liberais e socialistas. Os redatores estavam entre os mais respeitados de seus campos. Além de Hill, que tinha ficado bem conhecido por conta de sua publicação de 1937, *Quem pensa enriquece*, entre os outros redatores figuravam pessoas como Margaret Mitchell, autora de *E o vento levou...*; Sir Bertrand Russell, famoso filósofo, matemático e ativista social britânico; a escritora Ayn Rand, famosa pelo livro *A revolta de Atlas*, que se mantém popular até hoje; e Clare Boothe Luce, congressista norte-americana, embaixadora dos EUA na Itália e escritora para as revistas *Vanity Fair* e *Time*.

Esse mundo dinâmico

Esse artigo "Esse mundo dinâmico" foi um relato de Hill sobre a fé. Ele foi recentemente descoberto atrás da proteção de uma lareira em uma casa em Wise, na Virgínia, cidade onde Hill cresceu. A casa, conhecida como "A casa de Willie Banner", foi reformada pelo proprietário, Thomas Kennedy, um empresário local. Banner era irmã da madrasta de Hill. O Sr. Kennedy fez a gentileza de doar o artigo de Hill, que segue impresso exatamente como foi publicado na revista *Plain Talk*.

– Don M. Green

ESSE MUNDO DINÂMICO

Napoleon Hill para a revista Plain Talk

Acabo de fazer uma descoberta incrível!

Acabei de descobrir que tenho riquezas de grande valor. Essas pepitas de ouro foram emprestadas da vida, mas vou dividi-las com vocês, se assim quiserem compartilhar da minha fortuna.

A característica estranha da minha fortuna é que ela me rende lucros se eu a transfiro para outras pessoas. Você também descobrirá que pode se beneficiar dela em grande parte se usá-la sem moderação.

Comecei a acumular essa riqueza inconscientemente quando entrei para a maior escola da Terra – a escola da adversidade. Durante a "depressão dos negócios", fiz um curso de pós-graduação nessa escola.

Foi nesse momento que desvelei minha enorme fortuna escondida. Fiz essa descoberta certa manhã, quando recebi a notícia de que meu banco havia fechado as portas, para provavelmente nunca mais abri-las. Foi aí que comecei a fazer um inventário de todos os meus ativos não usados.

Acompanhe-me enquanto descrevo o que o inventário revelou.

Vamos começar com o item mais importante da lista: fé. Quando observei meu coração, descobri que, apesar da minha perda financeira, eu tinha uma abundância de fé na Infinita Inteligência e nos meus semelhantes.

Quem assiste enriquece

Junto com essa descoberta, veio outra de igual importância – a descoberta de que a fé pode conquistar coisas que nem todo o dinheiro deste mundo pode conquistar. Quando eu tinha todo o dinheiro de que precisava, cometi o grave erro de acreditar que dinheiro significava poder. E, então, veio a surpreendente revelação de que o dinheiro, sem fé, não passa de um metal inerte, que por si só não tem poder algum.

Percebendo, talvez pela primeira vez na vida, o estupendo poder da fé que resiste, fiz uma análise muito cuidadosa de mim mesmo para averiguar quanto dessa forma de riqueza eu possuía. Comecei dando uma caminhada pelo campo. Queria me afastar das multidões, do barulho da cidade, das perturbações da "civilização", para que eu pudesse meditar e pensar.

Na minha jornada, peguei uma bolota e a segurei na palma da mão. Encontrei-a nas raízes de um carvalho gigante do qual ela havia caído. A árvore me pareceu tão antiga que acredito que já tinha um grande porte quando George Washington era um garotinho.

Enquanto fiquei ali parado olhando para aquela bela árvore e seu pequeno fruto que eu segurava em minhas mãos, percebi que a árvore havia crescido a partir de uma bolota como aquela. Percebi também que nem todos os homens vivos poderiam fazer crescer uma árvore como aquela.

Eu estava ciente de que alguma forma de inteligência intangível havia criado a bolota da qual a árvore brotou, germinou e cresceu. Peguei um pouco de terra preta e cobri a bolota com ela. Agora eu tinha em minhas mãos a soma e a substância visível da qual resultava aquela árvore magnífica.

Eu podia ver e sentir a terra e a bolota, mas não podia nem ver nem sentir a inteligência que havia criado uma árvore com apenas aqueles simples elementos. Mas eu tinha fé de que essa inteligência existia. Além disso, sabia que teria de ser um grau de inteligência que nenhum ser vivo tem.

Da raiz do carvalho gigante, arranquei uma muda. Suas folhas tinham sido lindamente desenhadas – sim, desenhadas –, e me dei conta de que eu estava olhando para uma muda que também havia sido criada pela mesma inteligência que havia produzido o carvalho.

Continuei minha caminhada até me deparar com um córrego de água límpida. Sentei-me perto do córrego para poder descansar e ouvir sua música rítmica enquanto ele dançava ao longo de seu caminho até o mar.

A experiência reavivou doces lembranças da minha juventude, quando eu brincava ao lado de um córrego como aquele. Enquanto estava sentado ouvindo a música daquela pequena corrente, tomei consciência de um ser invisível – uma inteligência que falava comigo a partir de dentro e me contava a encantadora história da água, e esta é a história que ela contou:

Água! Água fresca e gorgolejante. A mesma água que vem prestando seu serviço desde que o planeta esfriou e se tornou a casa dos homens, dos animais e das plantas.

Água! Ah, que história você contaria se pudesse falar a língua dos homens. Você já matou a sede de milhões de viajantes terrestres; já alimentou as flores; já se transformou em vapor para fazer girar as máquinas dos homens, para então se condensar e voltar para sua forma original. Já limpou esgotos e lavou asfaltos, voltando à fonte para se purificar e começar tudo de novo.

Ao viajar, você se move em uma só direção – rumo ao grande oceano de onde veio. Você vai e volta sem parar, mas sempre parece estar contente com o seu trabalho.

Água! Água limpa, pura e borbulhante! Não importa quanta sujeira retira, você sempre acaba se purificando ao fim dos seus trabalhos. Água imperecível!

Você não pode ser criada, nem destruída.

Você é comparável à vida. Sem a sua benevolência, não poderia existir nenhuma forma de vida.

Ouvi um belo sermão, que me revelou o segredo da música do córrego. Ao ouvi-lo, vi e senti mais evidências sobre a mesma inteligência que criou o carvalho a partir de uma pequena bolota.

A sombra das árvores estava aumentando; o dia estava chegando ao fim. Enquanto o sol ia desaparecendo abaixo da linha do horizonte, dei-me conta de que ele também desempenhava um papel importante naquele maravilhoso sermão que eu havia ouvido.

Afinidade romântica

Sem a ajuda benevolente do sol, a bolota não poderia se converter em um carvalho. Sem a ajuda do sol, a água borbulhante do córrego teria ficado eternamente aprisionada nos oceanos, e a vida na Terra nunca teria existido. Esses pensamentos foram o ponto alto do sermão que ouvi, pensamentos de afinidade romântica entre o sol e a água, que faziam com que todas as outras formas de romance parecessem incomparáveis.

Peguei uma pequena pedrinha branca que havia sido habilmente polida pelas ondas da água do córrego. Ao segurá-la em minha mão, recebi de dentro de mim outro sermão ainda mais impressionante. A inteligência que proferia o sermão para a minha consciência parecia dizer:

> Eis aí, mortal, um milagre que seguras em suas mãos. Sou uma pequena pedrinha e, ainda assim, sou, na realidade, um pequeno universo. Pareço morta e imóvel, mas a aparência pode enganar.
>
> Sou feita de moléculas. Dentro de minhas moléculas há uma miríade de átomos. Dentro dos átomos, há um incontável número de elétrons que se movem a uma velocidade inconcebível. Não sou uma massa de pedra morta. Sou um grupo organizado de unidades em constante movimento.

Esse mundo dinâmico

Pareço sólida, mas a aparência é uma ilusão, pois meus elétrons estão separados uns dos outros por uma distância maior que suas massas.

O pensamento despertado por aquele clímax foi tão esclarecedor, tão estimulante que me deixou fascinado, pois eu sabia que segurava em minhas mãos uma porção ínfima da energia que mantém o sol e as estrelas e a pequena Terra onde vivemos em seus respectivos lugares.

A meditação me revelou a linda realidade de que há lei e ordem mesmo nos menores confins da pequena pedra que eu segurava em minhas mãos. Dei-me conta de que, dentro da massa daquela pedrinha, o romance e a realidade mantinham uma relação. Dei-me conta também de que, dentro daquela pedra que estava na minha mão, os fatos transcendiam a imaginação.

Eu nunca havia sentido com tanta força a relevância das evidências de que há lei, ordem e propósito envolvidos em um pequeno pedaço de pedra. Nunca havia me sentido tão perto da fonte da minha fé na Inteligência Infinita. Foram as belas árvores e córregos correntes, cuja calma convidou minha alma cansada a silenciar e olhar, sentir e ouvir enquanto a Inteligência Infinita me revelava a história de sua realidade.

Por um momento, estive em outro mundo, um mundo em que não existiam "depressões econômicas", falências bancárias, lutas pela existência e competição entre os homens. Nunca em toda a vida estive tão contundentemente consciente das reais evidências da Inteligência Infinita ou do que me levava a ter tanta fé nela.

Permaneci nesse paraíso recém-descoberto até começar a brilhar a Estrela Vespertina; então, relutando, obriguei-me a seguir meus passos de volta para a cidade, para me misturar mais uma vez com aqueles que eram guiados pelas inexoráveis leis da "civilização", em uma luta insana pela existência.

Estou de volta ao meu escritório, com meus livros, mas tomado de um sentimento de solidão e desejando estar lá ao lado daquele córrego acolhedor onde, há poucas horas, banhei minha alma na realidade reconfortante da Inteligência Infinita.

Sim, sei que minha fé na Inteligência Infinita é real e duradoura. Não se trata de uma fé cega; é uma fé baseada na análise cuidadosa do trabalho dessa inteligência. Estive procurando por evidências da fonte da minha fé no lugar errado, pois a procurei nas ações dos homens.

E encontrei-a em uma pequena bolota e em um carvalho gigante, nas folhas de um humilde xaxim na terra, no amigo sol que aquece a terra e movimenta as águas, em uma pedrinha e na Estrela Vespertina, no silêncio e na calma da vida lá fora.

Estou inclinado a sugerir que a Inteligência Infinita se revela por meio da força das lutas dos homens nessa corrida louca para acumular coisas de natureza material.

Meu banco faliu, mas ainda sou mais rico que a maioria dos milionários, porque tenho fé e com isso posso investir em outras contas bancárias e adquirir o que quer que eu precise para me sustentar nesse turbilhão de atividades conhecido como "civilização." É, sou mais rico que a maioria dos milionários porque dependo de uma fonte de poder que se revela a partir de meu interior, enquanto eles buscam poder e excitação em seus gráficos de ações.

Minha fonte de poder é tão livre quanto o ar que respiro. Para tirar proveito dele segundo minha própria vontade, só preciso de fé, e isso tenho em abundância. O mundo inteiro deveria já saber que a fé é o ponto de partida de qualquer esforço construtivo da humanidade e que o medo é o começo da maioria dos esforços destrutivos dos homens.

Fé

A fé nos permite entrar em contato com a Infinita Inteligência (ou Deus, se você preferir esse nome). O medo nos mantém à distância e impossibilita a comunicação com ela.

A fé cria um Abraham Lincoln; o medo dá origem a um Al Capone.

A fé faz nascer um grande líder; o medo cria um seguidor servil.

A fé torna os homens honrados nos negócios; o medo os torna desonestos e corruptos.

A fé faz com que procuremos e encontremos o melhor que há nos homens; o medo revela apenas suas limitações e defeitos.

A fé é inequivocamente percebida nos olhos das pessoas, nas expressões em seus rostos, no tom de suas vozes, no modo como caminham; o medo é percebido nessas mesmas instâncias.

A fé atrai apenas o que é útil e construtivo; o medo atrai apenas aquilo que destrói.

O que é certo vem da fé; o que é errado vem do medo.

Tudo que nos causa medo deveria ser analisado atentamente.

Tanto a fé quanto o medo tendem a assumir a forma de realidades físicas, pelos meios mais práticos e naturais disponíveis.

A fé constrói; o medo derruba. A ordem nunca é inversa!

A fé e o medo nunca andam juntos. Eles não podem estar na mente ao mesmo tempo. Um ou outro devem e sempre irão dominar.

A fé pode elevar um indivíduo a grandes realizações em qualquer vocação; o medo, da mesma forma, pode e torna qualquer realização impossível.

O medo conduziu ao pior caso de pânico que o mundo já viu; a fé irá desfazê-lo mais uma vez.

A fé é a alquimia da natureza, em que ela combina e mistura forças mentais e físicas com as forças espirituais.

O medo não se mistura à força espiritual, como a água não se mistura ao óleo.

A fé é um privilégio de todos os homens. Quando exercida, ela retira a maior parte das limitações reais e todas as limitações imaginárias que cegam o homem em sua própria mente.

A maioria dos homens da ciência não tem nenhum tipo de medo. Por outro lado, aqueles que não conhecem muito pouco ou nada sobre a ciência e a lei natural vivem mergulhados no temor. Nada pode ser mais significativo do que isso.

***

Conta-se que a presença de Napoleon no campo de batalha valeu mais do que a presença de dez mil soldados, porque ele inspirou os que estavam ao seu redor com o espírito da fé na capacidade que eles tinham de sair vitoriosos da guerra. Que lição para líderes industriais e empresariais!

Quando sua fé se acaba, é melhor escrever "fim" de uma vez por todas em sua história, porque você estará acabado, não importa quem você é ou qual seja a sua missão.

"Em verdade vos digo que, se tiverdes fé como um grão de mostarda, direis a este monte 'Passa daqui para acolá', e ele há de passar; e nada vos será impossível."* A depressão econômica, sem dúvidas, colocou à prova as almas de milhões de pessoas, mas essas mesmas pessoas aprenderam com essas provas que o sucesso não pode ser conquistado com medo.

---

*   Jesus, registrado em Mateus 17.20. (N.E.)

Talvez você seja um dos milhões de pessoas que leram a clássica obra de Napoleon Hill *Quem pensa enriquece*. Uma das primeiras histórias nesse livro é intitulada "A três passos do ouro". Nessas páginas, Hill repete uma história que lhe fora contada por R.U. Darby, porque ela ilustra bem que "uma das causas mais comuns do fracasso é o hábito de desistir ao sermos atingidos por uma derrota temporária".

Essa história se concentra na experiência de Darby e um de seus tios. Empolgado com a perspectiva de encontrar ouro durante a febre do ouro, o tio de Darby foi para o oeste a fim de fazer fortuna. Ele encontrou ouro, mas, como precisava de maquinário, voltou para sua casa, em Maryland, para conseguir dinheiro com seus amigos e familiares.

O ouro parecia ter acabado, e Darby e seu tio decidiram parar de procurar e voltaram para suas casas. Eles venderam suas participações e maquinário para um mercador, que então contratou um engenheiro e achou ouro a apenas três passos de onde eles tinham parado de perfurar.

Quando Darby voltou para Maryland e foi trabalhar na área de seguros, descobriu que o desejo poderia ser transformado em ouro. Ele usou a percepção de que tinha perdido uma fortuna, porque havia parado a apenas três passos do ouro, como fonte de inspiração para o seu trabalho, dizendo: "Eu desisti a três passos do ouro, mas nunca vou desistir por as pessoas me dizerem 'não' quando quero lhes vender um seguro".

Antes da publicação de *Quem pensa enriquece*, em 1937, Hill publicou as revistas *Napoleon Hill's Golden Rule Magazine* e a *Napoleon Hill's Magazine*, entre 1919 e 1923. Por muitos anos, Hill deu palestras em diversas cidades pelos Estados Unidos. Após lançar as revistas, ele as usava como espaços para divulgar sua habilidade de falar sobre os princípios do sucesso, sobre os quais fazia muito tempo que estudava e escrevia.

Segue-se um anúncio de quarto de página divulgando que Hill estaria dando palestras em Baltimore, Maryland, por um período de cinco dias. Observe que o anúncio foi patrocinado pela *R.U. Darby and Associates* e foi publicado em 15 de fevereiro de 1933. Hill estava sendo muito requisitado por conta de suas duas revistas e de sua disposição a falar.

Quando o anúncio da palestra saiu, em 1933, Hill já havia publicado sua série de oito volumes chamada de *A lei do triunfo*, que foi lançada em 1928. A receita dessa série era recebida mensalmente, e, em alguns meses, chegava a milhares de dólares. Hill, um grande fã de automóveis, se presenteou com um Rolls-Royce.

A seguir, um dos muitos anúncios que divulgaram o trabalho de Hill e o ajudaram a ser requisitado como figura pública.

— Don M. Green

O ASSUNTO DESSA PALESTRA GRATUITA

O mundo acabou de passar por três anos de caos que testaram as almas dos homens e mulheres. Alguns tiveram a coragem de se manter firmes e esperar o nascer de dias melhores. Alguns caíram pelo caminho, profundamente feridos.

Por meio de uma dessas grandes voltas da Roda do Destino, nossa empresa entrou em contato, há alguns meses, com Napoleon Hill, autor da filosofia da Lei do Sucesso e presidente da Universidade Internacional do Sucesso, em Washington, D.C.

O Sr. Hill nos trouxe um novo espírito de FÉ, coragem renovada e um conceito inteiramente novo dos estupendos valores que surgiram com a "depressão". Como resultado dessa experiência incomum, mantivemos o Sr. Hill por todo o ano de 1933, com o propósito de encorajar os membros da nossa organização para que eles pudessem fazer desse o melhor ano de toda a nossa existência.

Não podemos aceitar os serviços de um homem tão útil para o mundo quanto o Sr. Hill sem compartilhar os valores que ele nos trouxe com os nossos vizinhos em Baltimore. Sentimos que essa cidade toda precisa de uma renovação mental, espiritual e financeira e sabemos, por experiência própria, que o Sr. Hill é o homem certo para proporcioná-la.

Estamos, portanto, nos lançando em busca de uma verdadeira Regra de Ouro, ao oferecer para os nossos vizinhos, sem custo, um curso coordenado pelo Sr. Hill. Não importa quem você é ou quais

Quem assiste enriquece

são seus problemas, você será bem-vindo nessas palestras como nosso convidado.

Nem Hill nem nossa organização terão nada para lhe vender durante essas palestras. Venha preparado para sentir um novo despertar. Traga os membros de sua família ou seus parceiros de negócios e observe, assim como fizemos aqui na nossa própria organização, que acontecerá algo em sua mente que lhes dará uma nova visão sobre a vida.

O Sr. Hill teve uma experiência de vida riquíssima. Ele fala com palavras que qualquer um pode entender. Mais do que falar às pessoas o que elas devem fazer, ele mostra como colocar em prática sua filosofia da realização.

Hill é o autor da primeira filosofia do mundo sobre realização pessoal e tem alunos em praticamente todos os países do planeta. Ele tem a honra de ter ajudado mais homens e mulheres a se encontrarem do que qualquer outro filósofo dessa era. Você ficará impressionado com a sua franqueza e a praticidade das ideias que serão transmitidas durante esse curso.

Adie todos os seus outros compromissos, venha à palestra de abertura e veja por si mesmo os valores que serão passados a você. Estamos há mais de trinta anos servindo nossos amigos em Baltimore. Não assumiríamos a responsabilidade de patrocinar alguém se não tivéssemos certeza de que ele iria nos trazer créditos. Estamos honrados em patrociná-lo, Napoleon Hill.

Ao final desse curso, contrataremos qualquer pessoa, homem ou mulher, que assimile o treinamento do Sr. Hill de maneira suficiente a receber sua aprovação. O cargo será permanente e remunerado.

— **R.U. DARBY and Associates**
Baltimore Trust Building

CARTAS

Esta é uma carta do deputado Jennings Randolph, que se tornaria a inspiração para o grande livro *Quem pensa enriquece*. Seguem-se também outras cartas assinadas pelo deputado Randolph.

— Don M. Green

Meu caro Napoleon,

Meu serviço como membro do Congresso me deu uma visão clara sobre os problemas que afligem homens e mulheres, e estou escrevendo para dar uma sugestão que pode ser útil a milhares de pessoas de valor.

Com minhas desculpas, devo dizer que a sugestão, se acatada, irá significar muitos anos de trabalho e responsabilidade para você, mas tomei a coragem de lhe fazer essa sugestão, pois sei bem o quanto você ama prestar um serviço útil.

Em 1922, quando eu ainda era um jovem graduando, você ministrou a aula magna na Faculdade de Salem. Nessa aula, você plantou em minha mente uma ideia que foi responsável pela oportunidade que agora tenho de servir às pessoas do meu estado e será responsável, em grande medida, por qualquer sucesso que eu venha a ter no futuro.

Quem assiste enriquece

A sugestão que tenho em mente é que você coloque em um livro a essência da aula que ministrou na Faculdade de Salem e, assim, dê ao povo dos Estados Unidos uma oportunidade de tirar proveito de seus muitos anos de experiência e parceria com homens que, por sua grandeza, fizeram da América a nação mais rica do mundo.

Lembro como se fosse hoje a descrição maravilhosa que você fez sobre um método que Henry Ford, com pouco estudo, sem um centavo e sem amigos influentes, usou para alcançar níveis altíssimos. Decidi, antes mesmo de você terminar sua palestra, que eu construiria um lugar para mim, não importando quantas dificuldades teria que enfrentar.

Milhares de jovens concluirão seus estudos neste ano e nos próximos. Cada um deles estará buscando precisamente uma mensagem de encorajamento prático como a que recebi de você. Eles irão querer saber para onde ir, o que fazer, como começar a vida. Você pode lhes dizer, porque já ajudou tantas pessoas a resolverem seus problemas.

Se houver algum modo de você poder prestar um serviço tão inestimável, sugiro que inclua em cada livro um de seus Quadros de Análise Pessoal, para que o comprador do livro possa ter o benefício de uma autoanálise completa, que indique, como você me indicou anos atrás, o que exatamente os está impedindo de crescer.

Um serviço como esse – oferecer aos leitores do seu livro um retrato completo e imparcial de seus defeitos e qualidades – significaria para eles a diferença entre o sucesso e o fracasso. Um serviço inestimável.

Hoje milhões de pessoas estão enfrentando o problema de tentar se reerguer por conta da Depressão, e falo por experiência própria quando digo que essas pessoas honestas iriam apreciar a oportunidade de lhe contar os seus problemas e receber suas sugestões para resolvê-los.

Você conhece os problemas daqueles que precisam recomeçar suas vidas. Há milhares de pessoas nos Estados Unidos, hoje, que gostariam de saber como transformar ideias em dinheiro, pessoas que precisam começar do zero, sem capital, para reaver suas perdas. Se há alguém que pode ajudá-los, esse alguém é você.

Se você publicar o livro, gostaria de ter a primeira cópia que sair da editora, autografada pessoalmente por você.

Com meus melhores votos,
Cordialmente,
Jennings Randolph

Carta de Jennings Randolph a Napoleon Hill, 1934

Meu caro Napoleon,
Fiquei muito feliz pela oportunidade de conversar brevemente com você em Nova York há alguns dias e, após nossa conversa, devo lhe dizer que há, como você provavelmente sabe, mais de quinhentos mil garotos de idades entre 17 e 28 anos participando do programa CCC* em todo o país, divididos entre cerca de 2.400 campos.

Esses garotos precisam de um serviço que só você é capaz de prestar por meio da sua filosofia da "lei do sucesso", e desejo colaborar com você no sentido de levá-lo até eles, usando o método mais simples e direto disponível. Quero lhe apresentar pessoalmente o coronel Fechner, que é diretor dos campos, e estou confiante de que poderei abrir portas

---

* CCC – *Civilian Conservation Corps*, um programa governamental que contratava jovens solteiros e desempregados para realizar trabalhos braçais durante a Grande Depressão.

e incluí-lo nesse programa, da forma como mais lhe convier, tendo acesso direto aos garotos.

A minha sugestão se baseia em grande parte na inspiração que tive em sua aula magna doze anos atrás, quando eu estudava na Faculdade de Salem, e na aplicação prática que pude fazer de sua filosofia em meu trabalho.

Não estou pensando em vender seus livros para esses garotos, mas algo mais econômico que lhes ofereça tudo que puderem absorver e usar da sua filosofia, a um custo modesto para eles ou para o governo. Estive conversando bastante com esses garotos recentemente e sinto que entendo o que eles precisam.

O governo não tem nenhum programa educacional que aborde, de forma prática, a sua filosofia, e, se há algo de que esses garotos precisam, é exatamente o tipo de treinamento que você pode oferecer a eles. Além disso, eles precisam da mesma inspiração prática que você me deu em um momento em que esse toque extra tanto me ajudou.

Meus cordiais cumprimentos,
Jennings Randolph

Cartas

Carta de Jennings Randolph a Napoleon Hill, 1953

*15 de setembro de 1953
Sr. Napoleon Hill
Rua Ethel, 1311
Glendale, Califórnia*

Caro Napoleon,

Parabéns pela publicação do seu livro Como aumentar seu próprio salário! *Creio que ele incentivará dezenas de milhares de pessoas que poderão se beneficiar da sua filosofia da lei do sucesso.*

Tennyson uma vez disse: "Sou uma parte de tudo que já conheci". A convergência de nossos caminhos há 31 anos é realmente uma prova dessa máxima. O idealismo, da forma como definido na sua memorável aula magna na Faculdade de Salem, em 1922, e mais tarde incorporado aos 17 fundamentos da ciência do sucesso em Quem pensa enriquece, *certamente se tornou "uma parte de tudo que já conheci".*

A sua fórmula bem delineada prova que a chave do processo nem sempre é algo que está ao alcance das minorias, mas que o sucesso bem alicerçado pode ser conquistado por qualquer um, desde que as pessoas estejam dispostas a crescer e não tenham medo de ser diferentes e criativas em seus modos de pensar! Muitas vezes acreditei que as pessoas que fazem mais para si mesmas e para os outros são aquelas que aprenderam a cair de maneira inteligente. Elas podem cair, mas irão se colocar em pé novamente.

Na parceria com os 4.500 trabalhadores na Capital Airlines, liderada pelo presidente J.H. Carmichael, foi nosso propósito expandir nossa visão e também nossos salários. Esse espírito de ir adiante, que é a materialização dos seus conceitos, foi o responsável por fazer essa empresa transportar 2,5 milhões de passageiros neste ano com uma receita bruta de aproximadamente 45 milhões de dólares.

Sempre com seus desafios e ensinamentos em mente, assim sou.

*Respeitosamente,
Jennings Randolph*

Carta de Jennings Randolph a Lester Park

*16 de março de 1935
Sr. Lester Park
Produtor de "Imagens com propósito"
Nova York*

Meu caro Sr. Park,

Talvez eu seja um dos primeiros homens públicos de Washington a parabenizá-lo pelo seu plano de apresentar Napoleon Hill para o povo norte-americano no cinema e com aparições pessoais.

Conheço o Sr. Hill há mais de dez anos. Tive o primeiro contato e passei a ser influenciado pela sua famosa filosofia de realização pessoal quando ele ministrou a aula magna na Faculdade de Salem, quando eu fazia parte da turma de formandos. Alegra-me reconhecer que a lição que aprendi naquela única palestra me ajudou a realizar meu eterno desejo de representar o meu estado no Congresso, onde estou cumprindo meu segundo mandato.

Felicito a todos que têm a oportunidade de receber instruções pessoais desse distinto filósofo dos negócios, cuja missão na vida é ajudar pessoas a superar suas dificuldades, em vez de se esconder delas.

Você também será aplaudido pela decisão de oferecer ao público o benefício dos serviços pessoais do Sr. Hill ao apresentá-lo nas telas do cinema, porque tenho certeza de que há milhões de pessoas que precisam dos conselhos, da inspiração e da ajuda prática que ele pode dar. Estou muito feliz de vê-lo apresentar o Sr. Hill para o público nesse momento, pois ele é um grande admirador do presidente Roosevelt e tenho certeza de que será de grande valia para ajudar as pessoas a entender o programa New Deal.

Meus sinceros cumprimentos,
Jennings Randolph

Carta de Blair para David, filhos de Napoleon Hill

David era o mais novo dos três filhos de Napoleon Hill (e também é o pai do Dr. J.B. Hill, que hoje atua como administrador do conselho da Fundação Napoleon Hill). David fez carreira no Exército, servindo na Segunda Grande Guerra e na Guerra da Coreia. Ele se tornou um dos soldados mais condecorados da Virgínia Ocidental. Foi também o último dos filhos de Napoleon a falecer. David foi enterrado com todas as honras militares em Arlington.

20 de março de 1938

Querido David,
Desde que fui embora de Lumberport da última vez, frequentemente me pego imaginando como você está e o que está fazendo. Tantas vezes quis receber uma carta sua!
Espero que você esteja bem, assim como Jimmy, Grace e Judith. Você brinca com o bebê? Judith me parece tão doce e adorável!
Na sexta à noite, recebi uma carta de nossa mãe. Ela me disse que estava preocupada com você e com o que você estava planejando fazer, agora que não está mais estudando. Ela também me disse que acredita que o tio Hood disse (ou iria dizer) à tia Mary que iria permitir que o Jimmy o chamasse para trabalhar na empresa de gás.
Bem, não sei se podemos acreditar nessas notícias. Pode ser verdade, pode não ser. Mas, de qualquer forma, há algumas perguntas que você deve se fazer se deseja subir na vida algum dia. Tenho certeza de que você não irá se importar se eu tomar a liberdade de discutir algumas delas nesta carta, não é? Pois você bem sabe que não há ninguém na família, ou entre seus amigos, que se interesse mais pelo seu futuro sucesso e pelo seu bem-estar do que eu.
Pelo que me recordo, evidentemente, os requisitos de idade (e talvez escolares) o impediram de seguir trabalhando na Aeronáutica, como era seu plano da última vez que estive em casa, em fevereiro. Se houvesse qualquer maneira de seguir adiante com esse plano, eu apoiaria de todo o coração.

Além disso, sua única alternativa viável no momento é trabalhar –possivelmente para a empresa de gás, se o tio Hood estiver disposto a lhe dar o privilégio.

Digo "privilégio" porque é exatamente assim que penso. Você deve se lembrar, o tio Hood poderia tocar a empresa de gás com menos ajuda do que tem hoje. Sempre soube que ele e o tio Vauce empregavam mais pessoas que o necessário, mas faziam isso porque sentiam uma obrigação de ajudar o máximo de pessoas possível.

Você deve se lembrar das muitas vezes em que eu quis trabalhar para a empresa quando precisei de trabalho, mas me faziam esperar, porque não havia nenhum trabalho para mim no momento, e então eles criavam algum trabalho que eu pudesse realizar. Acredito que vá acontecer o mesmo com você. Seria diferente se você tivesse algum tipo de qualificação profissional como minerador, auxiliar de minerador, soldador etc. Mas, para ser sincero, para conseguir fazer qualquer coisa, você precisa ter alguém como chefe (assim como eu precisava). Talvez você vá cavar valas, talvez trabalhar nos caminhões, ou algo do gênero.

Mas independentemente do que você for colocado para fazer (se tiver a sorte de conseguir o emprego), eu lhe peço encarecidamente que, acima de tudo, NÃO DESISTA! É bem provável que você seja colocado para cavar valas. É o trabalho mais cruel, mais dolorido, mais monótono que eu conheço. Oito horas por dia, todos os dias, todas as semanas, até um dia em que você acordará tão farto de tudo aquilo que parecerá uma tortura continuar naquele trabalho. É isso que gostaria de lhe avisar. Se você for designado para essa tarefa, pelo amor de Deus, não desista! Pouco importa se você estiver cansado, moído, doente, não desista. Persista sem nenhum tipo de reclamação para ninguém, e trabalhe bem e honestamente.

2.

Quando digo "bem e honestamente", quero dizer para você realmente valorizar o dinheiro que receber, e depois valorizar ainda mais. O motivo? Simplesmente porque sei, por experiência própria (experiência triste, muitas vezes), que o tio Hood não é nada bobo. Se ele colocá-lo para trabalhar, pode ter certeza, será por um bom motivo. Você tem 19 anos, quase 20, não é mais um garoto. Você já é um homem crescido (e é por isso que estou falando de homem para homem nestas páginas). Você pode ter sido perdoado por ficar bêbado, por ser expulso da escola e mesmo ao fazer todas as coisas erradas das quais você foi acusado no passado, sempre justificadas pelo fato de que ainda era um garoto, sem idade suficiente para começar a levar a vida a sério. Mas isso é passado. As pessoas hoje o veem como um adulto, um homem jovem, responsável pelas suas próprias ações.

Agora, com a chegada da maturidade, você será julgado pelo seu desempenho.

Conheço o tio Hood o suficiente para saber que, por baixo de sua fama de durão, sua aparência de cinismo, sua fachada de puritano, há um homem que não tolera estupidez – por baixo de tudo isso, há um cara bacana pra caramba, um sujeito normal que passou por poucas e boas quando jovem, um homem que realmente gosta de seus sobrinhos, porque eles são seus parentes mais próximos. David, não há nada que esse homem por baixo da carapuça do tio Hood deseje mais do que vê-lo fazer o bem e mostrar que você se tornou um homem, que pode sossegar e aceitar responsabilidades e assumir compromissos.

Você tem uma vantagem sobre mim ao trabalhar para a empresa de gás. Nunca me deixaram fazer nada além de cavar valas com o resto do grupo ou trabalhar no caminhão, porque eram os únicos lugares em que eu podia trabalhar sem correr o risco de me machucar ou morrer por conta da minha audição deficiente. Mas sua audição é normal. Você pode chegar aonde o Jimmy chegou – se conseguir mostrar ao tio Hood que está disposto e é responsável.

A conclusão de tudo que lhe disse é, então: concentre-se no trabalho que tiver que fazer, e faça-o bem. Se você trabalhar junto com outros homens, não perca seu tempo se acontecer de vê-los "descansando". Continue trabalhando firme. Chega a ser surpreendente a quantidade de tenentes invisíveis que iam contar ao tio Hood sempre que eu estava "enrolando" ou apenas descansando.

Se você trabalhar em grupo, não deixe nenhum dos homens se meter em confusão. Se eles fizerem gracinhas, ria com eles, mas mantenha a linha e preocupe-se com as suas atividades. Nunca tire vantagem do Pete tentando matar serviço. Você descobrirá que Pete pode ser seu melhor amigo, se você for até ele às vezes e lhe perguntar se ele acha que você está fazendo um trabalho decente e se ele tem alguma sugestão de como você pode melhorar. Mas, em geral, se você levar seu trabalho a sério, sei que o seu melhor será mais do que suficiente.

Se algum dos rapazes fizer piadas com você, ou lhe pregar peças, leve com bom humor, ria da brincadeira e continue o seu trabalho. Se descobrir quem fez a brincadeira, chame-o para conversar (independentemente de quem for) e lhe diga que não tem tempo para brincar e que, se acontecer novamente, você irá colocar um cabo de enxada na cabeça dele! E diga, então, que não tem nada contra eles, contanto que não façam mais esse tipo de brincadeira – mas que aquele é o primeiro e último aviso!

3.
Lembre-se, se for trabalhar, o tio Hood ficará de olho em você o tempo todo! Você há de admitir que o seu histórico não é lá muito favorável. Mas seu passado não importa tanto, David, mas sim o que você está fazendo agora e no futuro. Então trabalhe duro, trabalhe

com constância e faça com que o seu histórico lhe dê o DIREITO a um trabalho melhor e mais agradável.

Por oito ou nove anos, cavei valas antes de conseguir trabalhar no caminhão com regularidade. O Jimmy também teve que cavar valas antes de passar para as linhas, ler os medidores, trabalhar nos poços etc., até chegar ao cargo atual no escritório. Você sempre terá alguém puxando-o lá de cima, David, mas parte desse incentivo será fazer com que você aja por conta própria – por seus próprios meios, entende? Tenho certeza de que sim.

Autodisciplina

Há algumas outras coisas que gostaria de ressaltar para você, David. Em primeiro lugar, se você realmente quer ter sucesso, irá precisar de um bom tanto de autodisciplina. Para chegar a esse ponto, enquanto estiver trabalhando na empresa de gás, precisa deixar de curtir a vida noturna durante a semana. Por quê? Porque isso o mantém acordado a noite toda e suga a sua energia, de forma que na manhã seguinte será literalmente um inferno sair da cama cedo para trabalhar. Além disso, você se sentirá tão cansado que odiará a ideia de ter que realizar um trabalho exaustivo. Você ficará tentado a "ficar doente" para poder tirar o dia de folga. Mas o bom senso diz, por outro lado, que, se você for se deitar todas as noites entre as 21h30 e 22h, você se sentirá descansado, cheio de disposição e energia na manhã seguinte – pronto para enfrentar um dia de trabalho duro com entusiasmo.

Nos finais de semana? Aí é outra história. Você pode relaxar um pouco às sextas ou sábados (desde que não tenha que trabalhar aos sábados). Aproveite para se divertir nesses momentos e você dará mais valor a eles. Mas não exagere – poupe a sua energia para fazer um bom trabalho.

Bebidas? Você já teve algumas péssimas experiências com uma garrafa de rum, não é verdade? O Sr. Johnny Walker parece tê-lo levado para passear em vários momentos, como você deve se lembrar. Pois eu, pessoalmente, não tenho nada contra o álcool, se usado como um coadjuvante, em pequenas quantidades, para animar uma dança, ou antes de um jogo de futebol ou de basquete, ou quando a turma se reúne na casa dos amigos para um encontro!

Mas David, em casa, em Lumberport, é algo totalmente diferente. Ninguém tem o direito de ficar bêbado a qualquer momento (a menos que tenha decidido "acabar" com tudo, quando não se importar mais com nada), por motivos de saúde, isso sem falar da oportunidade que dá para os muitos linguarudos da cidade ficarem fofocando, acabando com a felicidade da mãe por ficarem falando sobre o filho dela! Não vou lhe falar para beber ou para não beber. A decisão é sua. Eu bebo de vez em quando, mas hoje quase nem chego perto da bebida. Apenas seja discreto com relação a onde você bebe, seja cuidadoso com os seus parceiros de bebida e tente beber menos do que acredita que é suficiente. Claro, seria bom se você não bebesse mais. Mas eu não pediria para você seguir uma regra que eu mesmo não sigo. De qualquer forma, você é tão ou mais inteligente do que eu para decidir o que fazer quando se trata de beber!

4.
Quanto ao tipo de amigos que você deve ter: Dave, eu sei que você não tem muita escolha em Lumberport. A bem da verdade, sinceramente não acredito que haja um único garoto ou jovem à sua altura na cidade. A maioria dos caras é legal, mas não vale nada! A maioria deles é preguiçosa, gosta de sair para se embebedar e

correr atrás das garotas – não é culpa deles, eu sei, porque foram criados em um ambiente pobre e não conhecem nada além do que sempre tiveram.

Dave, é bem verdade o ditado "Dize-me com quem andas e te direi quem és". Você, um dia, se trabalhar duro, pode ser alguém na vida! E quando isso acontecer, não vai querer ficar conhecido por ser o amigo dos vagabundos da vila, não é?

Não me leve a mal, David. Longe de mim querer lhe pregar uma lição de moral, nem quero que pense que estou virando um esnobe. Você me conhece bem o suficiente para saber que isso não é verdade. Mas gosto de ser sincero. No entanto, seria bom que você parasse para pensar um pouco nisso tudo e em todas as outras dicas de sabedoria que tenho lhe dado. Pois sinceramente acredito que você tem muito potencial para conquistar algo de valor. É, portanto, um desperdício de tempo passar as noites vadiando com esses caipiras do interior e conquistadores baratos.

O que gostaria mesmo é de ver você se dando bem com o pessoal bacana lá de Clarksburg. Enturme-se com os rapazes que são amigos da Mary Virginia e da Elizabeth Ann e com o grupo que o Jimmy e a Grace conhecem tão bem lá em Clarksburg. A melhor forma de começar: fale ao Jimmy que você gostaria de conhecer as pessoas "certas" de Clarksburg. Ele vai colocar você no caminho certo. Saia para dançar com eles, ou vá para o clube, enfim, e permita que eles o apresentem para outras pessoas. Faça as pessoas saberem que o seu nome é David Hornor Hill, irmão de Jimmy Hill.

Vivendo de acordo com a sua renda

Agora vem a parte mais importante deste sermão – viver de acordo com a sua renda. Você lembra que o tio Vauce costumava tentar ensinar a mim e ao Jack sobre o valor de um dólar? É provável que, a princípio, você trabalhe por 25 centavos por hora (o mesmo que eu e Jimmy quando começamos) para cavar valas. Você respeitará o valor de 25 centavos como nunca respeitou antes ao segurar uma moeda em sua mão e dirá para si mesmo: "Caramba, eu conquistei esta moeda! Mas, nossa, foi difícil pra burro! Por uma hora, eu tive que ficar marretando sem parar, cavando como um louco, tirando as bolhas e calos da minha mão e tentando endireitar minhas costas que pareciam ter quebrado! Todo esse trabalho braçal por uma moeda! Mas eu mereci! Sim, senhor!

Então, David, você entenderá o que o tio Vauce quis dizer quando tentava ensinar o Jack e a mim a valorizar o que uma moeda representava. Sempre que eu gastava quinze centavos em um maço de cigarros, eu me retorcia e pensava comigo: "Caramba, são 36 minutos de valas cavadas que estou gastando!".

5.
O mais importante é: esse dinheiro será suado. Naturalmente, sei que você dará a esse dinheiro valor suficiente para não querer sair torrando intencionalmente. Mas todos sabemos que intenções não bastam se não forem seguidas com ações adequadas. O que gostaria de sugerir é que você separe um tanto de dinheiro para gastar: cigarro, artigos de higiene, sapatos, cortes de cabelo, um filme ou outro ou uma noitada de vez em quando. Reserve para você um valor total entre US$ 1,50 e US$ 2 por semana. Quanto ao restante, coloque na poupança no banco de Shinnston, de forma que você não possa nem tocar nesse dinheiro. Guarde para que você consiga se bancar sozinho quando realmente decidir se aquietar e voltar a estudar. Veja quanto tempo leva para economizar quinhentos dólares. Então você terá certa quantia para emergências, para alguma coisa de valor no

futuro, quando precisar de certo dinheiro acumulado. E, David, você ficará surpreso com o respeito próprio genuíno que esse processo de economizar despertará em você!

Bem, acho que já preguei o suficiente aqui. Tentei ser construtivo naquilo que disse. David, quero que você entenda que eu disse essas coisas apenas porque sei que elas irão ajudá-lo, se você conseguir se lembrar e agir de acordo com elas.

Mande lembranças a Jimmy e Grace e diga a Grace para dar um beijo no bebê pelo tio Blair. Com todo o meu amor por você, David, mando impressos (ou datilografados) meus cumprimentos e meus sinceros desejos de que você tenha sorte no emprego, e encerro por aqui. Por favor, não deixe de escrever para mim.

Seu irmão,
Blair

P.S.: David, se você tiver um tempinho, por favor, vá visitar a Vera. Ela vai transportar as nossas coisas e vai viver na casinha nos fundos do quintal da nossa casa, onde os Stones moravam. Veja se você pode ajudá-la a carregar as coisas pesadas. Descubra quais móveis ela quer transportar (ela vai lhe dizer) e então peça ao Pete Shreves ou ao Clark Robinson para ajudá-lo a colocá-los no caminhão e transportá-los, ou carregá-los para dentro da casa, e tal. Muito obrigado, David!
BH

NOTAS DE FIM

1   Warren Hilton, Applications of Psychology to the Problems of Personal and Business Efficiency, vol. 9 (New York: The Applied Psychology Press, 1920), 33-50. (Nota de fim acrescida à obra original)
2   Ibid., 59-72. (Nota de fim acrescida à obra original)
3   Wallace D. Wattles, The Science of Getting Rich (Holyoke, MA: Elizabeth Towne, 1910), 117-118. (Nota de fim acrescida à obra original)
4   C. A. Munn, "Education and Success", em The Fra Magazine: For Philistines and Roycrofters 15 (1915), 144. (Nota de fim acrescida à obra original.)
5   Isso deve ter acontecido em 1902, quando Hill tinha cerca de 19 anos. Ao que tudo indica, ele trabalhou por um curto período de tempo como mineiro antes de cursar o técnico em administração.
6   A ideia de fazer mais do que a obrigação mais tarde iria se tornar o princípio de Andar uma milha a mais.
7   Foi nesse período que Hill trabalhou para Rufus Ayers.
8   Hill parece estar fazendo uma referência implícita à importância da disposição para tomar atitudes.
9   Isso demonstra as primeiras concepções de Hill sobre os efeitos positivos do fracasso.
10   Hill achava que ficar "à deriva" era uma das maiores razões para o fracasso na vida.
11   O primeiro emprego de Hill em Chicago foi como gerente de publicidade da La Salle.
12   As receitas dos doces eram da mãe de Hill, Sara Blair. Sua primeira esposa, Florence, fazia esses doces muito bem.
13   De acordo com a biografia de Hill, *Uma vida de riquezas*, essas cidades eram Chicago, Baltimore, Indianapolis, Milwaukee e Cleveland.
14   A lei da compensação pode ser entendida como "a pessoa tem o que merece".
15   Essa instituição era chamada de Instituto de Publicidade George Washington.
16   Angela Morgan, "When Nature Wants a Man", em *Forward, March!* (New York: John Lane, 1918), 92-95.

Livros para mudar o mundo. O seu mundo.

Para conhecer os nossos próximos lançamentos
e títulos disponíveis, acesse:

🌐 www.**citadel**.com.br

f /**citadeleditora**

📷 @**citadeleditora**

🐦 @**citadeleditora**

▶ Citadel - Grupo Editorial

Para mais informações ou dúvidas sobre a obra,
entre em contato conosco através do e-mail:

✉ contato@**citadel**.com.br

THE NAPOLEON HILL FOUNDATION
What the mind can conceive and believe, the mind can achieve

O Grupo MasterMind – Treinamentos de Alta Performance é a única empresa autorizada pela Fundação Napoleon Hill a usar sua metodologia em cursos, palestras, seminários e treinamentos no Brasil e demais países de língua portuguesa.

Mais informações:
www.mastermind.com.br